D1174273

A ma femme Jeannette

ITALIES *gourmandes*

ITALIES *gourmandes*

Photographies de Robert Fréson
Assisté par Vicki Emmett

Textes de Carol Field, Leslie Forbes, Barbara Grizzuti-Harrison, Louis Inturrisi, Beatrice Muzi, Paola Pettini, Vito Quaranta, Nadia Stancioff, Sam Tanenhaus et Vanessa Somers-Vreeland

Recettes recueillies en Italie par Marilyn Costa

casterman
Callaway

Traduit de l'américain par René Wastelain
Supervision de la traduction française par Lillo Canta

Mise en page de la version française par Francesca Scarito

Imprimé et relié à Hong Kong par Palace Press International.

ISBN 2-203-60305-4 (9)

TABLE DES MATIÈRES

HAUT-ADIGE
I
Bolzano
Adige
VAL D'AOSTE
II
Aoste
Lac
Majeur
Lac de Côme
LOMBARDIE
III
Milan
Maleo
Lac de Garde
Pô
Mantoue
PIÉMONT
II
Turin
Pô
Roddi
Alba
Tolmezzo
FRIOUL
I
Udine
Piave
Vérone
VÉNÉTIE
I
Venise
Trieste
Parme
Reggio
nell'Emilia
Rubiera
Modène
Bologne
Pô
Gênes
Recco
Portofino
EMILIE-
ROMAGNE
V
Ravenne
LIGURIE
II
Lucca
Fiesole
Florence
Pise
Arno
Mer
Ligurienne
TOSCANE
IV
Sienne
Sinalunga
Montepulciano
Ancone
MARCHES
VI
Lac Trasimène
Pérouse
Assise
OMBRIE VI
Norcia
Todi
Lac Bolsena
Orvieto
Mer Adriatique
Viterbe
Pescara
L'Aquila
Lac Bracciano
Tibre
ABRUZZES
VII
Rome
LATIUM
VI
MOLISE
VII
MONTE
GARGANO
Liri
Volturno
CAMPANIE
VII
POUILLES
VIII
Bari
DISTRICT DES
TRULLI
Naples
Alberobello
Potenza
Matera
Brindisi
Amalfi
BASILICATE
VIII
Tarente
Nuoro
SARDAIGNE
IX
Mer
Tyrrhénienne
Cagliari
Castrovillari
CALABRE
Cosenza
VII
Catanzaro
Mer
Ionienne
Palerme
Taormine
SICILE
IX
Agrigente
Méditerranée

Introduction

En 1985, j'eu le grand plaisir de publier *le Goût de la France*, un livre qui partait à l'exploration de la cuisine des différentes régions de la France profonde. Je ne souhaitais certainement pas m'arrêter en aussi bon chemin et le concours généreux du London Sunday Times Magazine m'a offert l'occasion de me tourner cette fois vers l'Italie, la sœur toute désignée de la France quand sonne l'heure de la gastronomie.

Mon désir était d'enregistrer, tant que c'était encore possible, la relation existant entre les ressources régionales, le climat, les produits et les gens, et la richesse des recettes créées dans chaque région d'Italie. J'avais découvert auparavant, en France, un fascinant rapport entre les éléments de chaque région, le sol, la population et la façon dont les gens ont adapté les ingrédients disponibles sur place (ce qu'on pouvait faire pousser, cultiver, pêcher ou chasser à proximité) dans des plats plus savoureux les uns que les autres.

Dans les deux pays, cette habileté à exploiter les ressources est bien sûr née des contraintes qu'engendraient tant le manque de communication entre les régions que l'absence de méthodes efficaces de conservation de la nourriture. Mais dès que son économie gagna en prospérité et en mobilité, l'Italie allait devenir plus homogène, et le plaisir profond de tester toute une diversité de plats régionaux en voyageant du nord au sud ou de l'Adriatique à la Méditerranée, s'estomper, conséquence des progrès modernes de la réfrigération et d'un système de transport largement amélioré.

Fort heureusement, cette uniformisation apparente est aujourd'hui contrebalancée par une renaissance de l'intérêt porté à ces spécialités raffinées dont la diffusion ne dépassait pas à l'origine la région de leur création. Toutes les espèces de poissons frais, de coquillages et de crustacés, toutes les viandes, les gibiers, les fruits et les fromages circulent à présent aisément, et pourtant, durant l'année entière où nous avons parcouru le moindre recoin de l'Italie, nous avons eu le bonheur de découvrir nombre de chefs et de restaurants qui mettent une fierté extrême à préserver leur intégrité régionale. Ils nous ont apporté une aide immense, en nous révélant leurs vieilles recettes familiales, tout en me permettant de photographier les différentes étapes de la préparation des spécialités locales. Sans eux, je n'aurais pas pu mener ce livre à bien, et, tout au long de ces pages, je leur rendrai hommage pour leurs connaissances et leur contribution.

Ma profonde gratitude va à tous les écrivains qui ont voulu nous faire partager ici leur passion et leur mémoire de l'Italie, de sa cuisine, de son caractère. Vito Quaranta et Paola Pettini ne se sont pas contentés d'écrire un texte fouillé sur leurs patries, ils ont aussi influencé notre choix des mets à photographier dans ces régions qui sont les leurs. Mon seul regret, c'est que Carol Field, Leslie Forbes, Barbara Grizzuti-Harrison, Louis Inturrisi, Beatrice Muzi, Nadia Stancioff, Sam Tanenhaus et Vanessa Somers-Vreeland n'aient pu, eux aussi, se trouver à nos côtés pendant notre périple. Je n'en apprécie pas moins à sa juste valeur leur aide dans la perception de l'âme de ce pays.

J'ai certes rencontré beaucoup de changements dus à la modernisation de la production alimentaire, mais la beauté naturelle de l'Italie, sa richesse et son héritage historique demeurent au rendez-vous là où ils sont essentiels. Les marchés locaux traduisent toujours l'originalité des produits régionaux, comme les visages expressifs des gens reflètent toute la fierté de leurs réussites.

C'est à eux que je dédie ce livre.

Robert Freson

La devanture d'une petite épicerie typique à Venise dans les années '50.

◂ *Les fameuses gondoles de Venise alignées devant le palais des Doges, avec la place Saint-Marc vers la droite. L'église Santa Maria della Salute annonce l'entrée du Grand Canal dans le fond.*

I. *Vénétie/Haut-Adige/Frioul*

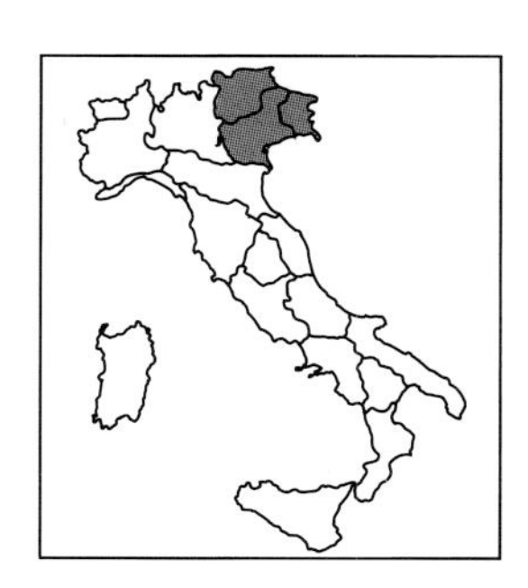

Nous avons vécu en Vénétie plus de trente ans, et la région n'a pas encore cessé de nous fasciner et de nous étonner. L'industrialisation a, il est vrai, introduit le béton dans la campagne et le tourisme de masse fait bien du dégât. Néanmoins, les collines qui ondulent sagement, les montagnes élégantes, les lagunes, et aussi les plaines avec leurs brouillards d'hiver concourent à façonner une région intime et terriblement suggestive, où la mer, la plaine et la montagne se succèdent selon un rythme harmonieux.

À l'image de la région, le dialecte de la population de la Vénétie est un modèle de douceur. Il est facile de s'en rendre compte en bavardant dans les cours des maisons rurales, dans les auberges de village, dans les vieux quartiers des villes, ou en partageant le rituel de l'*ombra* , ce petit verre de vin blanc que l'on savoure sur les marchés aux poissons et aux légumes, ou au hasard d'une promenade à travers les ruelles. Cette douceur naturelle, peut-être l'âme réelle de la Vénétie, n'est pas le résultat d'un manque de virilité mais le fruit d'innombrables années de civilisation.

Les peuples préindo-européens ont cédé la place au xe siècle avant J.-C. aux Vénitiens, originaires des Balkans, qui importèrent l'usage du fer. Au milieu du IIIe siècle avant J.-C., les Romains envahirent cette région. À une période de prospérité et de bien-être qui vit, durant les trois premiers siècles de l'ère chrétienne, la croissance des cités de la Vénétie, succéda une période de lent déclin entamée au IVe siècle. Ce déclin, précipité par la lutte entre les Goths et les Byzantins, atteignit son maximum au Ve siècle, suite aux invasions barbares.

À cette époque, les Vénitiens, fuyant devant les envahisseurs, abandonnèrent la terre ferme pour les îles, fondant plus tard la cité de Venise. Entre le continent aux mains des Lombards et le territoire maritime sous domination byzantine, Venise se mit alors à croître, imposant son autorité sur les mers, puis conquérant petit à petit les villes continentales. Alors que la préparation des mets en Vénétie était fort élémentaire dans la zone d'influence lombarde, les Byzantins introduisirent pour leur part des saveurs nouvelles et décisives : oignon, ail et poivre fort. La cuisine atteignit un raffinement extrême sous la république de Venise, qui importa des épices orientales (poivre, cannelle, clous de girofle) pour relever les nombreux plats de gibier et de poisson de la lagune et du delta du Pô. Après la chute de la république, la Vénétie se retrouva sous la férule de l'empire austro-hongrois et fut ainsi exposée aux influences de la cuisine autrichienne et allemande.

La cuisine régionale de la Vénétie que nous connaissons aujourd'hui a pris forme vers le début du XXe siècle ; elle occupe une place de choix dans la gastronomie italienne. Pour saisir ses nuances, il faut comprendre la topographie du pays. Le territoire de la Vénétie est formé d'un certain nombre de régions naturelles. Les Alpes possèdent le décor le plus frappant et le plus varié ; une série de hauts plateaux d'où émergent des massifs montagneux d'une beauté puissante, élégante, tandis que la région des Préalpes est faite de petites collines qui lui confèrent une douceur incomparable. Ce territoire montagneux fournit des pâturages pour les moutons et les chèvres – dont le lait donne d'excellents fromages, dont la ricotta. Les Colli Euganei et les Monti Berici, aux formes coniques, se dressent entre les Alpes et la plaine. Cette zone, qui forme un écosystème unique, est renommée pour ses jambons exquis. La vaste plaine de la Vénétie est composée de la lagune et de la partie de la région côtière qui s'étend du delta du Pô à la rivière Tagliamento, et ensuite à la plaine padane. Tant la région côtière que celle où domine la lagune offrent à profusion poissons, coquillages et autres fruits de mer. Les riches terres du delta de l'Adige permettent la culture d'une variété infinie de légumes ; la rivière grouille de délicieux poissons, la plaine est la région du bétail, des porcs et de la volaille. Grâce à cette diversité, la Vénétie a pu conserver une agriculture et une industrie alimentaire fortes, en dépit de l'industrialisation des trente dernières années. Elle contraste ainsi quelque peu avec d'autres régions d'Italie.

La cuisine de cette région se distingue par sa grande qualité et son extrême variété. La polenta est le lien entre la cuisine des sept provinces qui composent la Vénétie (recette page 25). Mélange de farine broyée et d'eau, la polenta a constitué l'élément de base principal de l'alimentation du paysan durant des siècles, particulièrement pendant des périodes de famine ou de peste. À l'origine, la polenta était faite de fèves de haricots, de pois chiches ou de millet ; plus tard, le maïs entre dans sa composition. Initialement importé, il fut ensuite cultivé dans le delta du Pô. La polenta était traditionnellement préparée dans une marmite remplie d'eau, suspendue au-dessus d'une flamme ; le cuisinier versait le maïs dans la marmite et, après avoir ajouté du sel, remuait le mélange à l'aide d'une cuillère en bois, de plus en plus fort à mesure que la polenta épaississait. Une fois la consistance désirée atteinte, la polenta était versée fumante sur une planche à découper en bois, où on la tranchait en bandes épaisses. La polenta, plat populaire par excellence apparaissant dans de nombreuses recettes traditionnelles, connaît actuellement un retour en grâce culinaire.

Tout itinéraire gastronomique de cette région se doit d'avoir Venise comme centre. La ville marie avec bonheur une cuisine basée sur les fruits de mer – à la fois simple et somptueuse, résultat de la qualité et de la fraîcheur des ingrédients – à une cuisine intimement liée aux produits de la campagne, le tout rehaussé d'épices et d'herbes qui évoquent le passé commercial de la cité. Citons des plats comme le broeto (une soupe de poissons), le poisson in saor (frit et nappé d'une sauce aigre-douce composée d'oignons frits, de sucre, de vinaigre et de raisins secs), et la grancevola alla veneziana (crabe bouilli servi dans sa coquille et relevé avec de l'huile, du jus de citron et du persil). Une autre spécialité est le fegato alla veneziana (foie de veau coupé en fines lamelles et cuit dans de l'huile, du beurre et de l'oignon), dont la particularité est l'équilibre harmonieux obtenu entre le goût du foie et celui de l'oignon (recette page 29). Les risi e bisi (riz aux petits pois cuit dans du bouillon) ne sont que l'une des versions du risotto, un plat de riz crémeux qu'on retrouve partout en Vénétie. La baccalà (morue) et le stoccafisso (merluche) sont courants dans d'autres provinces.

On ne peut apprécier pleinement la cuisine de Venise sans connaître ses habitants, dont le trait le plus frappant est la convivialité. Toute occasion est bonne pour descendre à l'osteria, y bavarder entre amis, un verre de vin blanc à la main, et déguster des amuse-gueule divers, tels que des œufs durs et de frais radis rouges. Les gens passent encore par l'osteria en rentrant chez eux le soir, pour discuter des événements de la journée en un dialecte local à la douceur savoureuse. C'est toutefois durant les journées de fêtes traditionnelles que se révèle le mieux l'âme de cette cité. Dans les siècles passés, l'année était scandée par un grand nombre de fêtes destinées à commémorer un large éventail d'événements historiques et religieux. La plus célèbre était le mariage de la mer, qui symbolisait le rôle dominant de Venise sur l'Adriatique.

Cette célébration culminait dans le discours du Doge, qui, arrivé dans un bateau richement orné (le fameux Bucentaure, jetait une alliance dans la mer, en prononçant ces paroles : "Sous le signe de l'éternelle autorité, nous, Doge de Venise, nous t'épousons, ô mer".

Une femme essuyant des poivrons avec un chiffon à Ronchi di Castelnuovo.

Peperoni sofritti, poivrons cuits à l'huile d'olive, chez M. Quaranta à Ronchi di Castelnuovo.

Lumache alle erbette, aussi appelées bogoni alle erbe, escargots cuits avec des légumes, ici chez M. Quaranta à Ronchi di Castelnuovo. ▸

Un étal de fruits au marché du Rialto à Venise.

Aujourd'hui encore, les Vénitiens sont fort attachés à ces fêtes, spécialement au carnaval, où ils arborent des masques d'une infinie variété de style. Au nombre des desserts qu'on consomme habituellement en ces occasions, citons les zaleti, des biscuits aplatis, ovales, faits de farine, de beurre, d'œufs, d'épices et de raisins secs ; les baicoli, de merveilleux petits gâteaux secs que l'on accompagne de chocolat ou de zabaione ; le fritole, constitué de farine, de raisins secs, de pignons, de citron confit et de sucre ; et les galani, des pâtisseries frites typiques de la saison du carnaval.

Padoue, berceau des premières universités, est connue pour sa volaille : oies, chapons, pintades, pigeons, coqs, poules et canards sont les piliers de la cuisine padovane. Autrefois domaine exclusif des femmes dans les fermes traditionnelles, la volaille est aujourd'hui produite presque exclusivement dans les batteries des élevages industriels.

Vérone, mieux connue pour les représentations d'opéra dans son amphithéâtre romain, célèbre la saison du carnaval par des festivités gastronomiques. Près de la limite de la province de Mantoue, les tortellini à la courge constituent une spécialité de solide renommée (recette page 22), tandis que dans la campagne, les escargots cuits avec des herbes fraîches recueillent toutes les faveurs, au même titre que les pêches en conserve.

Dans la région qui entoure Vicence, réputée pour les exquises asperges de Bassano, le toresan (le pigeon en dialecte local), rôti à la broche, jouit d'une forte popularité. Un autre plat typique, le baccalà alla vicentina, est fait de tranches de morue sèche salée-fumée, farcies d'oignon, d'ail, de persil, d'anchois et de parmesan râpé, braisées dans une casserole avec une sauce faite de lait et d'huile d'olive.

La région de Trévise est célèbre pour son paysage et ses villas aristocratiques qui apparaissent soudain entre les lignes de vignes ou les splendides jardins. Construits dans les siècles passés par de riches marchands vénitiens qui rivalisaient de largesses pour s'assurer les services des plus fameux architectes et peintres d'intérieur, ces villas n'étaient pas seulement des secondes résidences mais aussi le centre de vastes domaines agricoles. Parmi les produits typiques de cette région on compte le radicchio, qui possède sa foire à Castelfranco Veneto durant la semaine avant Noël, et les champignons de Montello. La région de Belluno est connue pour ses haricots, en particulier la variété Lamon, introduite dans les années 1500 d'Amérique centrale. Ces haricots constituent l'ingrédient principal du plat populaire pasta e fagioli, des pâtes avec de la soupe de haricots (recette page 28), et d'autres soupes des plus savoureuses. Les casonzei (raviolis farcis d'épinards et de jambon), le risotto aux escargots et de nombreux plats de gibier sont également typiques de l'endroit. Dans la dernière province, celle de Rovigo, nous trouvons une cuisine plus simple. Le poisson en est l'ingrédient principal, en harmonie avec l'environnement, où la nature n'a pas encore eu à subir les excès affligeant du genre humain.

La Vénétie est une des principales régions productrices de vin d'Italie. Les vignobles entourant Vérone n'utilisent que des raisins locaux pour produire des vins mondialement connus comme le Bardolino ou le Valpolicella, qui convient si bien à un repas léger. Le Recioto della Valpolicella est habituellement un vin rouge doux, mais il existe un Recioto sec, dit Amarone, qui s'avère excellent avec des rôtis ou du gibier. Le Soave est un vin blanc sec légèrement amer qui accompagne merveilleusement le poisson ; le Custoza blanc, plus fruité, s'accorde avec n'importe quel repas. Dans la région qui entoure Trévise, on rencontre d'excellents spumanti, vins mousseux, ainsi que de bons rouges, dont le Cabernet di Pramaggiore et le Merlot di Pramaggiore. A Portogruaro, dans la province de Venise sont produits d'autres vins blancs, dont un Tocai, un Pinot Bianco, un Pinot Grigio et un Riesling, tous excellents avec le poisson. La province de Vicence donne le Gambellara, un vin blanc sec moelleux. La région de Breganze produit six vins différents, dont le Breganze Bianco, un autre blanc sec pour le poisson, et le Breganze Rosso, excellent avec les rôtis.

Contrastant avec un monde souvent obsédé par la peur de trop manger, la Vénétie, à l'exception de quelques zones industrielles, a maintenu des liens étroits avec la terre et ses produits. Le temps du repas doit être vécu dans la sérénité, en famille et entre amis. Il n'en est que plus fortement apprécié. S'il n'y a qu'une seule et unique philosophie qui gouverne la vie de chacun en Vénétie, c'est de s'en tenir aux choses simples, aussi simples et terre à terre que les habitants de la Vénétie eux-mêmes.

Terre de mythes et de légendes, relégués aujourd'hui dans la mémoire de ses plus anciens habitants, le Trentin-Haut-Adige, niché au cœur des Alpes, se trouvait autrefois au croisement des mondes latin et germanique. Dans cette région, deux populations différentes coexistent. Dans le nord, la majorité de la population est de langue allemande ; dans le sud, de langue italienne. Les deux provinces ont en commun la configuration du pays, caractérisée pour une bonne part par des masses montagneuses, puisque les plaines se limitent aux vallées inférieures des principaux cours d'eau. Elles possèdent toutes deux une industrie touristique prospère, qu'elles doivent à leur beauté naturelle et au succès des sports d'hiver, tout autant qu'à des produits abondants tels les fruits, le vin, le fromage, le lait et le bois de construction. Leurs cuisines se révèlent pourtant tout à fait différentes. Celle du Trentin, davantage italienne, reflète des influences à la fois lombardes et allemandes venues se greffer sur la base culturelle de la Vénétie, tandis que celle du Haut-Adige combine des influences allemandes, autrichiennes et slaves. La cuisine du Trentin a perdu le souvenir des banquets grandioses que les princes-évêques de la région offraient aux cardinaux et aux souverains participant au Concile de Trente en 1545-63, et elle a longtemps été un modèle de simplicité et d'austérité.

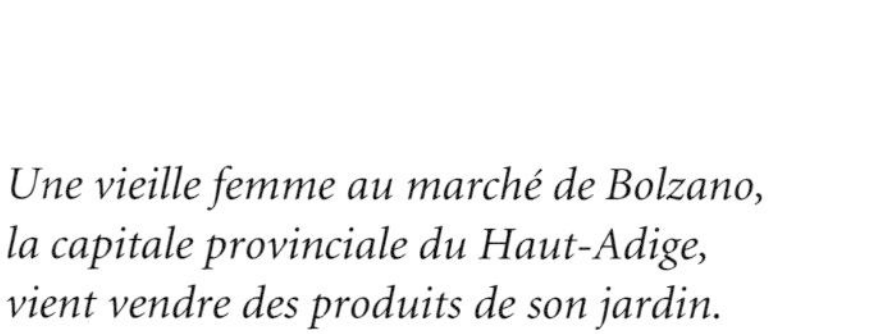

Une vieille femme au marché de Bolzano, la capitale provinciale du Haut-Adige, vient vendre des produits de son jardin.

Une femme faisant la vendange des raisins du spumante et du dolce près du lac de Garde.

Les potages comme l'orzetto alla trentina, fait d'orge et d'un vaste assortiment de légumes, sont typiques de cette région un peu sauvage qui a su conserver ses traditions populaires. Citons également les canederli, de grosses boulettes constituées de pain, de farine, de lait et d'œufs, parfois associées à du foie, du saindoux ou diverses sortes de salami, que l'on fait cuire dans une casserole avec du beurre ou que l'on sert dans un bouillon de viande (recette page 26). La polenta, qu'elle soit faite de maïs jaune ou de sarrasin, est très répandue. Elle est servie avec des luganeghe, petites saucisses bouillies ou grillées, ou avec des champignons dont la province regorge. Les poissons de rivière se retrouvent dans de nombreux plats. Parmi eux, la truite, la tanche, l'anguille, l'omble-chevalier, le barbeau et l'ombre se retrouvent en tête de liste. Les fromages sont ici excellents : l'asiago, le vezzena et divers autres connus sous le nom de la localité où ils sont produits. Un dessert typique à Noël est le zelten, confectionné avec de la farine, du sucre et des raisins secs.

Dans le Trentin, les vignobles sont un composant essentiel du paysage, et les vins produits sont de la plus haute qualité. Parmi les blancs remarquables, dont l'appellation est chaque fois précédée de Trentino, un Pinot Bianco, un Pinot Grigio, un Riesling et un Traminer Aromatico, tous excellents avec un plat de poisson ; et un Moscato et un Vino Santo, des vins destinés au dessert ou à boire entre les repas. Au nombre des rouges, le Cabernet convient aux rôtis et au gibier, le Marzemino, presque violet, au goût velouté caractéristique, accompagne les rôtis et la viande blanche, le Merlot la viande en ragoût et grillée, et le Pinot Nero la volaille. La production de vins mousseux, nés du mariage heureux des cépages Pinot Nero et Chardonnay, est très importante dans le Trentin.

Les knödel, ces sortes de boulettes fort proches des canederli du Trentin et farcies de viande, font partie des plats les plus caractéristiques du Haut-Adige. Un grand nombre de soupes différentes trouvent également leur origine dans cette région, depuis la soupe à l'escargot jusqu'à la soupe au vin de Terlano, de la soupe de cervelle aux herbes fraîches à la goulasch originaire des Balkans. Divers types de pains, presque toujours de seigle, accompagnent ces soupes. Ces pains, minces, durs et savoureux, étaient cuits traditionnellement avant que les habitudes de confort de la vie moderne ne rendent les fours extérieurs insupportables en hiver, et d'une telle façon qu'on pouvait les conserver durant des mois. Parmi d'autres spécialités régionales on peut citer la choucroute, la polenta, les champignons, la truite, les viandes fumées, les petites saucisses au sang de porc ou au foie, et le gibier, ce dernier étant souvent accompagné d'une confiture faite de baies sauvages, abondantes dans cette province. Les desserts les plus fréquents sont le strudel et le zelten ; ce dernier, à la différence de celui du Trentin, est fait avec de la farine de seigle, plus riche. Cette province produit des vins blancs fort appréciés, parmi les meilleurs d'Italie.

Dans la région du Frioul, qui a des frontières communes avec des pays germanique et slave, deux cultures complètement différentes coexistent harmonieusement. Il y a d'un côté Trieste et Gorizia et leur petite région intérieure, aux racines profondément ancrées en Europe Centrale, et de l'autre le reste de la région fait de plaines, de montagnes et de collines qu'unifie une culture rurale commune.

◂ *Des plats de fruits de mer préparés de façon simple à l'Antica Trattoria Poste Vecie à Venise : en haut, des cigales de mer (cigale di mare) et des grosses crevettes (gamberoni) ; au centre, des plats de calmars (polpetti) et d'escargots de mer (lumache di mare) ; et quelques coquilles Saint-Jacques (cape sante) à l'avant.*

Le marché aux poissons, l'un des nombreux étals du marché du Rialto à Venise.

Fruits sauvages utilisés au restaurant Molin Vecio à Caldogno pour préparer le plat de la page 19 ; on voit ici des more (mûres), des fragoline di bosco (fraises des bois) et des lamponi (framboises).

De ce mélange sont issus des styles culinaires régionaux variés : le style du Frioul central, lié au monde paysan ; celui de Trieste, marqué par des influences internationales, combinant des caractéristiques autrichiennes, slovènes, méditerranéennes et même hongroises, puisque Trieste fut le grand centre maritime de l'empire des Habsbourgs ; la cuisine de Gorizia, qui reflète également la présence des Habsbourgs ; et, pour finir, la cuisine de la côte adriatique, qui laisse paraître des influences vénitiennes.

L'élément unificateur – qui joint le capitaine de marine de Trieste et le paysan originaire de Carnio qui a émigré à l'étranger –, c'est l'amour de la patrie, cette région qui forme dans leurs pensées comme un petit pays. La réunion familiale autour du *fogolar*, le foyer typique entouré de bancs installé au centre des cuisines classiques du Frioul est une tradition encore vivante. Dans une région qui s'étend de la mer Adriatique aux Alpes carniques, avec un climat qui varie, adoptant un caractère méditerranéen le long de la côte et continental dans la plaine intérieure et dans les montagnes, la production alimentaire agricole ne peut qu'être variée. Il y a le jambon, dont le San Daniele et le Sauris constituent d'excellentes variétés ; les cotechini (saucisses) ; le fameux muset, préparé à partir de morceaux de têtes de porcs ; et des fromages comme le montasio. En plaine, on cultive surtout le maïs, mais les haricots et les pommes de terre ont aussi leur importance. L'iota est une soupe caractéristique du Frioul, faite de haricots, de lait, de farine de maïs et de brovada (navet blanc qui a mûri dans la lie du raisin). Les soupes faites à partir de bobici (grains de maïs frais), la soupe alla triestina, à l'orge et à la pomme de terre, et la soupe aux haricots alla friuliana sont également très courantes. Le porc, le bœuf et le gibier constituent, avec le poisson de l'Adriatique, les ingrédients de base d'un grand nombre de plats de résistance. Ici, rien du cochon ne se perd. Tout est utilisé, de la tête aux pieds : le lard est fumé, on se sert de la langue et du sang, et la viande est à la base de la fabrication de saucisses et du jambon. La fameuse goulasch, un ragoût de viande d'origine hongroise, est faite de bœuf, au même titre que les tripes – confectionnées à partir d'intestin de bœuf. Les desserts caractéristiques de cette région sont le strucolo, un genre de pain sucré ou strudel, la gubana et la pinza, des variétés différentes de pain sucré que l'on mange au moment de Pâques.

Les vins du Frioul sont renommés. La région la plus appréciée est le Collio Goriziano, la bande de terre accidentée qui se situe entre Dolegnia et Gorizia, où sont produits le Collio lui-même, mélange de cépages ribolla, malvasia istriana et tocai, mais aussi les Collio Sauvignon, Pinot Bianco, Pinot Grigio, Riesling, Verduzzo, Silvaner et Tocai. On y rencontre également des vins rouges fort prisés, comme les Collio Merlot, Cabernet Franc et Pinot Nero. L'appellation Colli Orientali del Friuli, de la région qui longe la frontière de l'ex-Yougoslavie, recouvre des blancs comme un Tocai Friulano, un Verduzzo et un remarquable Picolit, mais aussi des rouges comme un Raboso et un Cabernet. La région produit aussi de la grappa qui jouit d'une estime considérable et est connue partout dans le monde.

Vito Quaranta

Gratin di frutti di bosco con gelato al rabarbero, fruits sauvages d'abord chauffés puis mélangés à de la glace à la rhubarbe faite maison au restaurant Molin Vecio à Caldogno, près de Vicence en Vénétie.

Ce plat, traditionnel de la veillée de Noël, est typique de Mantoue, où la production de potirons est importante. Les ingrédients de la farce révèlent une persistance du goût médiéval pour les épices, et donnent naissance à une pâte étonnamment douce. Nous avons choisi ici une courge plutôt qu'un potiron.

Tortelli di Zucca Pâte farcie à la courge

À la façon de Gabriele Bertaiola de l'Antica Locanda Mincio, Borghetto di Valeggio

Pour 8 personnes

La farce :

Deux courges de 900 g chacune
1 œuf
110 g d'amaretti (macarons) écrasés
225 g de parmesan fraîchement râpé
Une pincée de noix muscade fraîchement râpée
300 g de chapelure ordinaire
2 cuillerées à soupe de pignons écrasés
2 cuillerées à soupe de raisins secs
60 ml de moutarde de Crémone à l'ancienne (facultatif)
110 ml d'Amaretto
Une pincée de sel
1 cuillerée à café de zeste de citron et 1 cuillerée à soupe de zeste d'orange, râpés

La pâte :

450 g de farine complète ordinaire
4 œufs
Une pincée de sel

La sauce :

4 cuillerées à soupe de beurre fondu
2 cuillerées à soupe de sauge fraîche hachée, ou 1/2 cuillerée à soupe de sauge séchée
110 g de parmesan fraîchement râpé

Préchauffez le four à 200° C.

Pour faire la farce, coupez les courges en deux, retirez les graines et les fils, et faites cuire chaque moitié dans une poêle garnie de papier d'aluminium durant environ 50 minutes ou jusqu'à ce que la chair apparaisse tendre lorsqu'on la transperce avec une fourchette. Raclez la chair et écrasez-la dans un grand bol à l'aide d'une cuillère en bois jusqu'à ce qu'elle soit onctueuse. Prélevez l'équivalent de trois grandes tasses de cette pulpe, égouttez-la, puis mettez-la dans un autre grand bol. Ajoutez le reste des ingrédients de la farce à la chair et réalisez un mélange homogène. Pour obtenir de meilleurs résultats, conservez la farce dans le réfrigérateur la veille de la confection des tortelli, pour permettre à toutes les saveurs de s'imprégner les unes aux autres.

Fabriquez la pâte à l'aide des ingrédients énumérés, en suivant les instructions pour la pâte à raviolis figurant à la page 247. Roulez la pâte en un rouleau un peu plus épais que d'habitude, car la garniture est assez humide.

Cuisez les tortelli dans une grande quantité d'eau bouillante salée durant 3 à 4 minutes, jusqu'à ce qu'ils remontent à la surface, puis égouttez-les soigneusement. Pendant qu'ils cuisent, faites fondre le beurre avec la sauge, en évitant de le laisser roussir.

Pour servir, placez une couche de tortelli dans un plat de service, versez par-dessus un peu de beurre fondu avec la sauge, et saupoudrez de fromage. Ajoutez des couches successives jusqu'à ce que tous les tortelli et le beurre à la sauge aient été utilisés.

1. Fabrication des tortelli di zucca à l'Antica Locanda à Borghetto di Valeggio sul Mincio, entre Mantoue et Vérone.

2. La batterie de cuisine de Gabriele Bertaiola à l'Antica Locanda Mincio.

3. Piments rouges et fenouil au marché de la piazza delle Erbe à Vérone.

4. Ail, oignons, haricots et céréales au marché de la piazza delle Erbe à Mantoue.

5. Sylvia se rendant au marché avec la production de son jardin à Faver, au nord-est de Trente.

6. Bolets sur le marché de Vicence.

7. Pains plats de Bolzano, qu'on appelle Schüttelbrot en allemand, pane di segala secco en italien.

8. Cigales et seiches au marché aux poissons du Rialto à Venise.

9. Jambons fumés séchant dans un grenier à San Daniele, juste au nord d'Udine dans le Frioul.

◂ *La tradition et le style contemporain se mêlent dans le salon de l'ancienne Heiss Hof, une maison privée de la Valle Sarentina, dans le Haut-Adige.*

CIPOLLINE OLANDESI I. SCELTA
Etto L 350
CIPOLLINE OLANDESI ROSSE
Etto L 400
CIPOLLINE OLANDESI BIANCHE
POP CORN
Etto L 350
BORLOTTI LAMON NUOVI
Etto L 700
LENTICCHIE NUOVA
Etto L 400
1
2
3
4
5
6
7
8
9

Le montasio est un fromage local fabriqué dans les montagnes proches de la frontière autrichienne dans le Frioul. Rangé à présent dans la grande famille des fromages traditionnels, il était produit au XIII*e siècle déjà par les moines de l'abbaye de Moggio près de Tolmezzo. À défaut de montasio, on peut utiliser du provolone, plus facile à trouver en France. Le frico peut être servi en entrée.*

Frico Fromage frit

À la façon de Gianni Cosetti de l'Albergo Roma, Tolmezzo

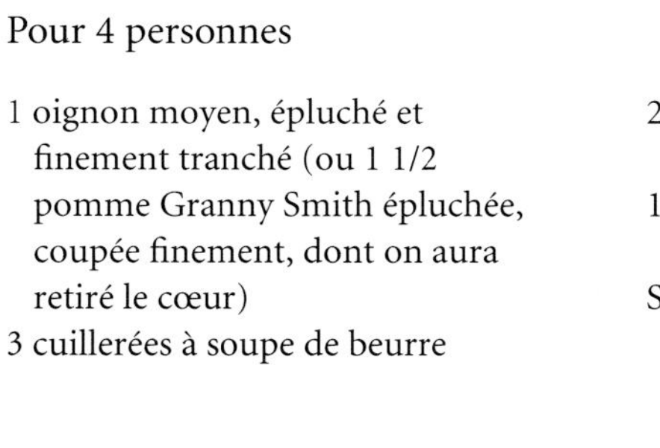

Pour 4 personnes

- 1 oignon moyen, épluché et finement tranché (ou 1 1/2 pomme Granny Smith épluchée, coupée finement, dont on aura retiré le cœur)
- 3 cuillerées à soupe de beurre
- 200 g de montasio jeune (ou de provolone) râpé
- 100 g de montasio à maturité (ou de provolone) râpé
- Sel et poivre

Faites dorer l'oignon ou la pomme dans le beurre d'une poêle à frire. Avant qu'il (elle) ne soit doré(e), ajoutez le fromage. Assaisonnez de sel et de poivre. Dès que le dessous est croquant, retournez le frico à la manière d'une omelette et faites frire l'autre face.

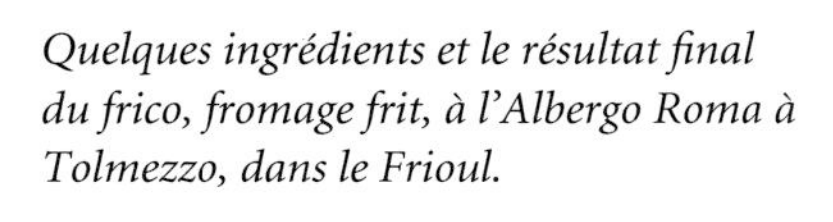

Quelques ingrédients et le résultat final du frico, fromage frit, à l'Albergo Roma à Tolmezzo, dans le Frioul.

Gianni Cosetti, natif de Tolmezzo, a dirigé son auberge, l'Albergo Roma, pendant vingt ans. Construit en 1870, ce relais sur la route d'Udine conserve un charme désuet. Le cristal fin et l'argenterie s'accordent merveilleusement avec les mets traditionnels et simples de la région.

La polenta est un produit de base important des régions alpines du nord. Ses ingrédients extrêmement simples s'adaptent parfaitement à une énorme variété d'accompagnements. Comme les pâtes, elle n'est jamais servie seule. Une fois bouillie, elle peut être aussi bien frite que grillée. On peut recommander la polenta pour accompagner le seppioline nere et le fegato alla veneziana (recettes page 29), le toresan sofega nei funghi (recette page 31) et le merluzzo in cassoeula (recette page 83).

◂ Le speck, un jambon de montagne fumé, accompagné d'une sélection de pains locaux au restaurant Speckstube de l'Albergo Mezzavia, au nord de Bolzano dans la Valle Sarentina. Le genre d'auberge attirant traditionnellement les chasseurs, qui se munissaient de leurs propres couteaux pour manger (le speck est employé dans une recette de boulettes, page 26).

Polenta Gruau de farine de maïs

À la façon de Gianni Cosetti de l'Albergo Roma, Tolmezzo

Pour 900 g, 6 à 8 personnes

- 2,5 l d'eau froide
- 300 g de polenta jaune (farine de maïs)
- 3 cuillerées à café de sel

Faites bouillir à gros bouillon la moitié de l'eau dans une grande marmite. Mélangez le reste de l'eau froide à la farine de maïs dans un grand bol, en remuant vivement. Quand le mélange est onctueux, versez-le lentement dans l'eau bouillante. Ajoutez le sel et remettez à bouillir, tout en remuant constamment. Réduisez la chaleur, et laissez la polenta bouillonner lentement à feu doux pendant environ une heure.

Quand elle est cuite, la polenta est très onctueuse, épaisse et crémeuse, et elle se détache facilement des parois de la marmite. Versez-la dans un plat, laissez-la refroidir, puis coupez en tranches et utilisez selon les instructions.

Une portion de polenta, à l'Albergo Roma.

Madame Heiss portant ses vêtements traditionnels, dans la Valle Sarentina, au Haut-Adige.

Le porc constitue la base de la cuisine du Trentin-Haut-Adige et la préparation ultime du porc est le speck, un terme qui désigne généralement du lard fumé, mais correspond dans cette région à du jambon fumé désossé. Il faut trois mois pour faire de l'excellent speck, car la viande est fumée lentement et par intermittence 2 à 3 heures par jour dans un climat froid, en altitude. Aux États-Unis, le speck se trouve dans des magasins de spécialités alimentaires italiennes.

Les noms des plats de cette région font clairement apparaître l'influence de l'empire austro-hongrois, qui dicta ici sa loi jusqu'en 1918. Beaucoup de noms ont ainsi été simplement traduits en italien. Canederli vient, par exemple, du mot autrichien knödel. On servira ces boulettes dans leur bouillon avec une garniture de parmesan râpé, comme une soupe.

Canederli Tirolesi Boulettes tyroliennes

À la façon d'Erica Locher du restaurant Speckstube, près de Ponticino

Pour 6 personnes

3 œufs
250 ml de lait
250 g de dés de pain blanc rassis
(chaque dé aura un peu plus d'1 cm)
150 g de speck ou de jambon, coupé fin
2 cuillerées à soupe de persil haché
Sel et poivre
Environ 150 g de farine
1,5 l de bouillon de poule ou de bœuf
75 g de parmesan fraîchement râpé

Battez les œufs avec le lait. Ajoutez les dés de pain, le speck ou le jambon, ainsi que le persil, et assaisonnez de sel et de poivre. Mélangez convenablement, puis ajoutez suffisamment de farine pour que le mélange devienne compact.
Avec les mains humides, confectionnez des boulettes un peu plus petites que des balles de tennis. Amenez le bouillon à ébullition. Farinez légèrement les canederli et cuisez-les à feu doux dans le bouillon durant 15 à 20 minutes, en veillant à ce que les boulettes soient couvertes du bouillon durant toute la cuisson. Servez-les dans leur bouillon garni de fromage râpé.

Conserves en pots au restaurant Molin Vecio de Sergio Boschetto à Caldogno, de gauche à droite : scopeton (salacca scozzese, poisson écossais), tege peperoni (tege di pevaron, poivrons), piments et zucchini (courgettes).

Canederli tirolesi au restaurant Speckstube de l'Albergo Mezzavia dans la Valle Sarentina. ▸

Quelques ingrédients et le résultat final de la pasta e fagioli, chez M. Quaranta à Ronchi di Castelnuovo.

La pasta e fagioli appartient à toute l'Italie. Pratiquement chaque région en possède sa version propre. En Vénétie, ce plat était à l'origine préparé à base de graisse de porc et de jambon à l'os . De nos jours, l'huile d'olive de Toscane ou des régions du sud est préférée. Cette recette mélange les deux origines.

Pasta e Fagioli Pasta et soupe de haricots

À la façon de Vito Quaranta de Vérone

Pour 4 personnes

200 g de haricots secs cannellini
100 g de lard ou de pancetta coupé finement
1 branche de céleri et1 carotte épluchées et coupées finement
1 oignon épluché et haché finement
2 belles tomates fraîches, épluchées, épépinées et coupées finement
1 pomme de terre épluchée et émincée
Sel
150 g de macaroni sec
Poivre noir fraîchement moulu
55 g de parmesan râpé
Huile d'olive

Mettez les haricots dans un bol, couvrez-les d'eau fraîche et laissez-les tremper toute une nuit.

Le lendemain, cuisez le lard ou la pancetta dans une poêle à frire, puis épongez sur du papier absorbant. Égouttez les haricots, mettez-les dans une grande casserole et couvrez-les d'un litre et demi d'eau. Ajoutez tous les légumes émincés, le lard ou la pancetta et salez. Débutez à feu moyen et, quand la soupe se met à bouillir, réduisez la chaleur au minimum. Couvrez partiellement et laissez cuire durant environ deux heures. Remuez de temps en temps, et ajoutez un peu d'eau si la soupe semble trop sèche. Lorsque les haricots sont tendres, ajoutez les macaronis et cuisez jusqu'à ce que les pâtes soient al dente, soit à peu près 10 minutes.

La soupe sera alors assez épaisse. Servez chaud avec un soupçon de poivre selon votre goût, 2 cuillerées à soupe de parmesan par convive et quelques gouttes de bonne huile d'olive comme touche finale.

Les cèpes séchées conviennent pour des sauces et des soupes, mais des champignons frais seront préférés ici. Servez en entrée ou comme accompagnement d'une viande en ragoût (recette page 159).

Funghi Porcini Trifolati

Cèpes fraîches cuites dans du persil et de l'ail

À la façon de Gianni Cosetti de l'Albergo Roma, Tolmezzo

Pour 6 personnes

450 g de cèpes fraîches
2 cuillerées à soupe d'huile d'olive
1 épaisse tranche de lard
2 gousses d'ail épluchées et hachées
Sel et poivre
2 cuillerées à soupe de persil haché

Nettoyez, rincez et séchez les champignons ; coupez-les en gros morceaux. Faites chauffer l'huile d'olive dans une casserole et faites sauter le lard avec l'ail.

Retirez-les de la casserole avec une écumoire et débarrassez-vous en. Placez les champignons dans cette huile bien relevée et saupoudrez de sel et de poivre. Remuez doucement. Couvrez la casserole et cuisez à feu doux durant environ 15 minutes. Ajoutez le persil haché et servez.

Servez le seppioline nere alla veneziana en entrée ou comme plat principal, accompagné de tranches de polenta frite ou grillée (recette page 25).

Seppioline Nere alla Veneziana Seiches à la vénitienne

À la façon de Dino Boscarato du restaurant Dall'Amelia, Mestre

Pour 4 personnes

900 g de seiches, avec leur encre
4 cuillerées à soupe d'huile d'olive
1 gousse d'ail épluchée et hachée finement
1/2 oignon épluché et haché
200 g de tomates fraîches épépinées et émincées
Sel et poivre
225 ml de vin blanc sec
1 cuillerée à soupe de persil haché

Ingrédients et résultat final des seppioline nere alla veneziana au restaurant Dall'Amelia.

Si les seiches ne sont pas déjà nettoyées, retirez les intestins de la partie en forme de tube, et ôtez la mince épine dorsale transparente. Enlevez la peau extérieure violacée, qui se détache très facilement dans de l'eau chaude. Ôtez les petites capsules d'encre situées de part et d'autre de la tête, mais gardez l'encre. Retirez les yeux, ainsi que la partie dure en forme de bec au centre des tentacules. Rincez soigneusement sous l'eau courante (les seiches sont d'un blanc laiteux une fois nettoyées). Coupez leur le corps en rondelles. Si les tentacules dépassent la taille d'une bouchée, coupez-les en 2 ou en 4 suivant le cas.

Chauffez l'huile dans une poêle et faites sauter l'ail et l'oignon hachés jusqu'à ce qu'ils soient dorés. Ajoutez alors les seiches. Au bout de 2 à 3 minutes, ajoutez les tomates et assaisonnez de sel et de poivre. Quand la chair est à moitié cuite (environ 5 minutes), versez le vin et l'encre et poursuivez lentement la cuisson. Juste avant la fin de celle-ci, parsemez de persil haché.

Cette célèbre préparation vénitienne de foie sera servie comme plat principal, accompagnée de tranches de polenta frite ou grillée (recette page 25).

Fegato alla Veneziana Foie à la vénitienne

À la façon de Dino Boscarato du restaurant Dall'Amelia, Mestre

Pour 4 personnes

2 gros oignons, épluchés et coupés en rondelles fines
2 cuillerées à soupe d'huile d'olive
4 cuillerées à soupe de beurre
Sel et poivre
675 g de foie de veau, coupé en très fines tranches
280 ml de vin blanc sec
Une poignée de persil haché

Fegato alla veneziana au restaurant Dall'Amelia à Mestre, la porte du continent pour les Vénitiens.

Trempez les rondelles d'oignon dans de l'eau glacée durant 10 minutes et égouttez-les convenablement.

Faites chauffer l'huile et le beurre ensemble, à feu moyen, dans une grande poêle à frire. Faites sauter l'oignon jusqu'à ce qu'il soit translucide, puis assaisonnez de sel et de poivre. Ajoutez le foie dans la poêle et faites sauter rapidement, quelques minutes de chaque côté. Arrosez de vin et poursuivez la cuisson pendant 2 minutes. Le foie sera saignant et seulement à peine rosé quand on le coupera. Ajoutez le persil, remuez et servez.

Traditionnellement, les oiseaux utilisés dans cette recette étaient si jeunes qu'ils n'avaient pas encore appris à voler, et si tendres qu'ils pouvaient fondre en bouche, permettant une harmonie parfaite avec la subtile saveur des cèpes.
Ce plat saisonnier atteint son apogée en août et septembre. Il existe un dicton local qui dit : "de agosto, colombo rosto", *ou "en août, il faut rôtir le pigeon".*

Toresan Sofega nei Funghi Pigeonneau aux cèpes

À la façon de Sergio Boschetto du Molin Vecio, Caldogno

Pour 4 personnes

4 jeunes pigeonneaux, plumés, lavés et séchés (mettez de côté les foies, les cœurs et les gésiers)
2 tranches moyennes de lard, coupées en 2
4 feuilles de sauge fraîche, ou 1 pincée de sauge séchée
4 rameaux de romarin, ou 1 grosse pincée de romarin séché
1 bâton de cannelle, cassé en 4 morceaux
4 clous de girofle
4 petites échalotes épluchées
Du gros sel
Du poivre fraîchement moulu
75 ml d'huile d'olive
2 cuillerées à soupe de beurre

4 baies de genévrier
1 branche de céleri hachée finement
1 carotte épluchée et hachée
1 fine tranche de pancetta ou de lard
250 ml de vin blanc sec
Bouillon de bœuf
2 petits oignons épluchés et coupés en fines rondelles
Une pincée de farine
Une larme de vin rouge
450 g de cèpes fraîches, lavées, séchées et coupées finement
1 gousse d'ail hachée finement
3 cuillerées à soupe de persil haché
Une pincée de thym écrasé

450 g de polenta précuite

Farcissez chaque oiseau d'une demi-tranche de lard, d'une feuille de sauge, d'un rameau de romarin, d'un morceau du bâton de cannelle, d'un clou de girofle, d'une échalote, d'une pincée de gros sel et d'une autre de poivre fraîchement moulu. Bridez solidement les oiseaux.

Dans une grande et profonde casserole, faites sauter les oiseaux dans une cuillerée à soupe d'huile d'olive et une cuillerée à soupe de beurre, avec les baies de genévrier. Ajoutez le céleri et la carotte hachés finement, ainsi que la pancetta ; au bout de quelques minutes, ajoutez le vin blanc. Couvrez la casserole et cuisez à feu doux durant environ 40 minutes, en retournant les oiseaux souvent et en ajoutant du bouillon de temps en temps pour maintenir une sauce.

Pendant ce temps, faites bouillir les gésiers dans de l'eau légèrement salée, jusqu'à ce qu'ils soient cuits, soit à peu près durant 5 minutes ; égouttez-les et coupez-les en gros morceaux. Dans une poêle à frire, faites sauter les gésiers quelques minutes avec les cœurs, les foies et les fines rondelles d'oignon, dans une cuillerée à soupe de beurre. Versez la farine et le vin rouge dans la poêle, assaisonnez de sel et de poivre, et prolongez la cuisson pendant quelques minutes. Retirez du feu, mélangez la préparation jusqu'à ce qu'elle soit onctueuse, versez dans une casserole et mettez de côté. Cette sauce sera utilisée comme assaisonnement supplémentaire.

Faites sauter les champignons avec l'ail et le persil hachés, dans 4 cuillerées à soupe d'huile d'olive, durant environ 10 minutes. Assaisonnez de sel et de thym.

Préchauffez le four à 250° C. Coupez la polenta en tranches. Faites-les frire dans une cuillerée à soupe d'huile d'olive, à feu moyen, jusqu'à ce qu'elles soient dorées, soit environ 10 minutes. Séchez-les sur du papier absorbant.

Quand les oiseaux sont cuits, coupez-les en deux et disposez-les dans un plat. Couvrez avec les champignons et les jus de cuisson filtrés et passez au four 2 à 3 minutes. Réchauffez la sauce de gésier. Servez les oiseaux fort chauds, avec la sauce de gésier et la polenta.

◂ *Ingrédients pour le toresan sofega nei funghi au restaurant Molin Vecio de Sergio Boschetto à Caldogno.*

Conserves de pêches à l'Antica Locanda à Borghetto di Valeggio sul Mincio.

Torta di Mele Gâteau aux pommes

À la façon de Gabriele Bertaiola de l'Antica Locanda, Borghetto di Valeggio

Pour 6 à 8 personnes

La garniture :

3 à 4 grosses pommes Granny Smith, épluchées et coupées en tranches fines
2 cuillerées à soupe de jus de citron
170 ml de Calvados ou assimilé
110 g de sucre
1 cuillerée à soupe de farine
1 cuillerée à café de zeste de citron
1 cuillerée à soupe de zeste d'orange
Le jus d'une orange
2 cuillerées à soupe de beurre, coupé en petits morceaux, ainsi que de quoi beurrer le moule à pâtisserie
Une pincée de noix muscade

La pâte :

300 g de farine
200 g de sucre
200 g de beurre (coupé en petits morceaux)
4 jaunes d'œufs
Une pincée de sel
1/2 cuillerée à café de zeste de citron râpé
1 cuillerée à soupe d'eau glacée

Du sucre impalpable

Placez les tranches de pomme dans le jus de citron, dans un grand bol peu profond et couvrez avec le Calvados. Laissez macérer durant 1 heure. Égouttez avant l'emploi.

Pour la pâte, posez la farine sur votre plan de travail ou dans un bol à malaxer et creusez un puits au centre. Ajoutez le sucre, le beurre et les jaunes d'œufs. Saupoudrez de sel et de zeste de citron râpé, sur les bords du puits. Pétrissez rapidement, en ajoutant de l'eau glacée si nécessaire pour obtenir une pâte facile à manier. Laissez reposer 30 minutes au réfrigérateur. Séparez la pâte en deux disques, l'un un peu plus grand que votre moule et l'autre légèrement plus petit.

Préchauffez le four à 200° C.

Placez le plus grand des disques de pâte dans un moule beurré d'un diamètre de 22 cm. Dans un autre bol, mélangez le sucre, la farine et la noix muscade pour la garniture et répandez-les sur la pâte. Saupoudrez de zeste de citron et d'orange, puis couvrez à l'aide des tranches de pomme, aspergez de jus d'orange et répartissez les morceaux de beurre. Couvrez avec l'autre disque de pâte et appuyez tout le long des bords pour sceller. Percez le dessus au moyen d'une fourchette en quelques endroits, puis cuisez au four durant 40 minutes. Saupoudrez le dessus du gâteau de sucre impalpable et servez chaud.

Un gondolier en costume traditionnel sur le Grand Canal à Venise.

Quelques ingrédients et le résultat final de la torta di mele à l'Antica Locanda à Borghetto di Valeggio sul Mincio . ▸

Peso netto
1000 g

Le marché de la piazza Mazzini à Chiavari en Ligurie.

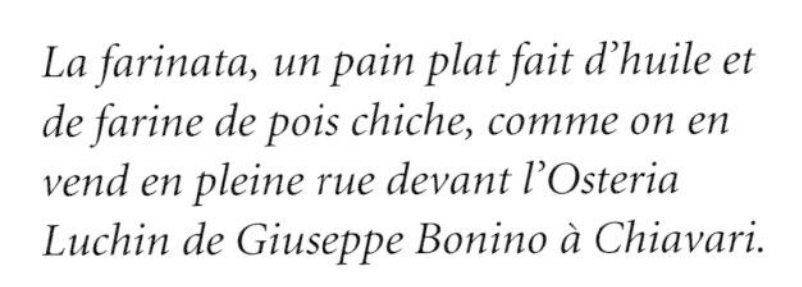

La farinata, un pain plat fait d'huile et de farine de pois chiche, comme on en vend en pleine rue devant l'Osteria Luchin de Giuseppe Bonino à Chiavari.

◂ *Le lac d'Orta et l'île de San Giulio vus de la ville d'Orta dans le Piémont.*

II. *Ligurie/Piémont/Val d'Aoste*

Dans un restaurant d'une de ces nombreuses villes de Ligurie peintes en rose et en pistache trône une cuisinière qui fait une pâte aux herbes si fine qu'on peut les reconnaître presque aussi clairement que sur un tableau de botaniste.

"Nous, Liguriens, nous sommes les Écossais de l'Italie", confia-t-elle un jour. "Comme eux, nous avons été spoliés de notre royaume par nos voisins – la Savoie –, en 1815. Comme eux, nous sommes économes – trop chiches même pour acheter notre propre sel, nous préférons tremper notre pain dans la mer. À Gênes toutefois les gens sont si radins qu'il faudrait deux Écossais pour faire un seul Génois !"

La Ligurie n'est plus la grande nation de marins qui engendra Colomb. À présent, la Riviera italienne retire plus d'argent de la culture des fleurs et du tourisme... mais les Liguriens trempent toujours leur pain dans la mer. Leur plat le plus emblématique, le cappon magro, n'était à l'origine qu'un biscuit de marin imbibé d'eau de mer et arrosé d'huile d'olive – le maigre (magro) repas que mangeaient les marins génois pendant que leurs maîtres se régalaient de cappon (chapon). Au fil des ans, ce plat est devenu un mélange de tout ce qu'il y a de mieux sur cette côte montagneuse qui abrite le vieux port de Gênes.

La base du cappon magro reste un biscuit imbibé d'eau salée. Viennent ensuite des légumes tendres, le poisson frais disponible (les poissons ne sont jamais abondants sur cette côte et renferment généralement beaucoup d'arêtes), parfois des musciame (lambeaux de dauphin séchés jadis préparés par les marins à bord du bateau, toujours en vente près des quais de Gênes) ou de la bottarga (poutargue) et, finalement, une couronne de mollusques et de crustacés, l'édifice entier étant nappé d'une sauce verte composée d'herbes broyées, d'anchois et d'huile d'olive.

Nombre de plats liguriens ont été conçus au long des siècles par les femmes attendant le retour de leurs maris de leurs longs voyages en mer. Des boutiques d'alimentation du XIXe siècle, profondément ancrées dans la ruche médiévale des arcades de Chiavari, offrent des délices tels que la torta pasqualina, une tourte de Pâques composée d'artichauts cuits mêlés de ricotta et de parmesan versés ensuite dans une vaste coquille de pâte feuilletée.

Arrivés de bonne heure à Chiavari le jour du marché, vous pourrez y trouver pour le petit déjeuner la farinata (appelée socca à Nice), une crêpe faite de farine de pois chiches mêlée à de l'huile d'olive et cuite dans un four chauffé au bois, ou un gros pavé ridé de focaccia, le pain le plus typique de Ligurie (la ville de Recco en propose une version aussi mince que du papier, recette page 58) : pâte plate qui n'a levé qu'une fois, relevée de sel grossier, de petits morceaux d'oignons, de fromage ou de pulpe d'olive.

Tous les marchés de cette côte méditerranéenne ensoleillée regorgent d'oranges, de citrons, d'abricots, d'airelles ; et aussi de petits légumes destinés à la farce et à la friture comme à Nice – c'est que la Ligurie est essentiellement un jardin vertical coincé entre la mer et les montagnes. Cet isolement géographique l'a forcée, au cours de l'histoire, à tourner le dos à l'Italie et à nouer des rapports avec ses partenaires du commerce maritime.

Quand on parcourt en voiture la route reliant la Riviera di Ponente (qui se prolonge par la Côte d'Azur) à la Riviera di Levante (qui de Gênes à la Toscane n'est que symphonie de villas de la Renaissance et de stations balnéaires), ou que l'on emprunte à pied le rude sentier côtier enroulé autour des cinq villages quasi inaccessibles, connus sous le nom de "Cinque Terre", on peut voir et respirer les ingrédients culinaires primordiaux de la région avant même de les goûter. Au début du printemps, quand fleurissent les premières fleurs violettes de bourrache, les jeunes feuilles ajoutent leur saveur de concombre à la farce des raviolis. Plus tard, les étals de marché offriront un mélange d'herbes sauvages appelé preboggion, que l'on ne trouve qu'en Ligurie. Ce mélange est habituellement constitué d'ache de montagne, d'oseille, de chicorée sauvage, de bourrache et de cerfeuil, mais il peut aussi comprendre du pissenlit, de la pimprenelle et des jeunes pousses de chardon. Légèrement cuit et mêlé à du fromage caillé prescinsena, il remplit la meilleure pâte de la région – les pansoti, triangles ou carrés de pâte à l'œuf et au vin blanc, servis avec une sauce aux noix grossièrement broyées, la salsa di noci (recette page 57).

Si la marjolaine est ici la reine des herbes, le basilic fait la loi. Le pesto de basilic (recette page 57), pilé avec de l'ail, du sel, des pignons, de l'huile d'olive et du pecorino, fromage au lait de brebis, est appelé par les Liguriens leur "drapeau". Il est originaire de Perse et a peut-être été transplanté sur cette côte par les Phéniciens. Les Liguriens faisaient depuis longtemps du commerce avec l'Orient, et les Grecs comme les Phéniciens établirent des comptoirs à Gênes dès 500 av. J.-C. Pourtant, aucun produit oriental ne pourrait offrir le parfum qu'impriment les huiles fruitées de Ligurie ; les oliviers qui escaladent ses terrasses à pic, absorbent, dit-on, le sel et la douceur des brises de mer. Aucun autre pesto ne pourrait être aussi odorant. Le basilic de Gênes aux courtes feuilles, parfumé en diable, est cueilli quand il n'a pas plus de 8 centimètres de haut, avant le début de la floraison, pour empêcher que sa couleur ne s'obscurcisse au contact des aliments chauds. Le pesto vert de chlorophylle, qui en résulte, est utilisé en sauce pour les gnocchi, on l'ajoute aussi aux soupes de légumes, ou on en habille une pâte en forme de tire-bouchon appelée trofie, que l'on fait cuire et sauter avec des haricots verts et des pommes de terre. Peut-être est-ce la couleur du pesto qui charma d'abord les marins liguriens, car les épices de l'Orient, qui les entraînèrent si loin de chez eux, semblent les avoir emplis d'une profonde nostalgie pour les saveurs vertes de leur région.

La cristallisation des fruits est une technique plus certainement empruntée au Moyen-Orient : cet art fut mené à un tel degré qu'au siècle dernier la plupart des maisons royales d'Europe entretenaient un fournisseur de fruits candis à Gênes. Les pierres précieuses sucrées sont encore très présentes, depuis les gâteaux connus sous le nom de pandolce (précurseur du fameux panettone de Milan) jusqu'à une étrange mais délicieuse recette de la Renaissance où les raviolis sont farcis de potiron candi, de moelle d'os et d'écorce d'orange.

J'ai découvert la trace d'une autre tradition de la Renaissance dans une petite boutique de Chiavari, débordante de figures de proue sculptées et de bustes classiques en plâtre. À leurs côtés, ce qui ressemblait à des pièces de monnaie en bois. "Je les fabrique à l'ancienne, les corzetti", dit un homme que je pris pour le patron de la boutique, "chaque pièce porte des armoiries". Il regardait tristement autour de lui. "Toutes ces sculptures sont mon œuvre. Quand j'étais plus jeune, je rêvais d'être un Michelangelo, un Donatello ! Au lieu de cela, je suis célèbre pour être le dernier homme à sculpter des corzetti".

"Néanmoins, cela fait plaisir d'être connu pour quelque chose !", dit-il avec un large sourire, et il s'assit pour graver mes initiales sur un moule (recette des corzetti, page 54). Il n'allait accepter aucune rétribution pour son travail – preuve, si besoin était, que la réputation de parcimonie des Liguriens doit moins à la vérité qu'à une certaine moquerie de soi-même.

Le Tajarin, une espèce locale de tagliatelles, fabriquée au restaurant Giardino da Felicin de M. Rocca, à Monforte d'Alba, dans le Piémont.

Les tagliatelles, peut-être le type de pâte le plus courant en Italie, comme les exécute M. Lorusso dans son restaurant La Cròta à Roddi dans le Piémont (on trouvera en page 247 des indications sur la façon de réaliser une pâte à base d'œufs). L'utilisation de plusieurs œufs est caractéristique du mode de fabrication de la pâte dans cette région. ▸

Rane con funghi e cornetti, cuisses de grenouilles aux champignons et haricots, servies au restaurant Pinocchio de Piero Bertinotti à Borgomanero dans le Piémont.

À la fin de l'automne dans les collines du Piémont, contreforts des Alpes, un parfum domine – et ce n'est pas celui du basilic. Il envahit la rue principale d'Alba ; il se tapit dans les restaurants fin de siècle de Turin ; il outrage à un tel point une certaine société italienne qu'il est interdit sur les transports publics ; pourtant, il est largement responsable de la position actuelle du Piémont comme centre gastronomique d'Italie.

Quand il est prêt à répandre ses spores, ce *tuber magnatum*, le plus princier des cousins de la pomme de terre, la truffe blanche d'Alba, commence à dégager un arôme de musc assez puissant pour s'infiltrer dans le sol autour des racines des arbres. Pour le dire crûment, la chose empeste la sueur ; plus précisément, l'androstérone, l'huile essentielle que l'on trouve dans la sueur mâle. D'où l'attrait qu'elle exerce sur les cochons femelles.

Les cochons étant plutôt difficiles à dresser, leur place dans le monde de la truffe a été usurpée par les chiens, qui chassent non par amour mais par faim. "S'ils n'ont pas faim", nous a dit Omberto, titulaire de l'équivalent d'un doctorat dans l'art de la truffe, "les truffes pourraient être aussi grosses que des chaises, le chien se mettrait à poursuivre la première chienne en chaleur".

Durant tout le mois d'octobre, Alba, centre du vin et des truffes du Piémont, et dès lors capitale culinaire, tient sa foire annuelle de la truffe, la plus importante de nombreuses fêtes gastronomiques. Les chasseurs de truffes les plus rusés apportent leurs prises à la ville chaque week-end pour les vendre aux enchères à des acheteurs venus du monde entier, et chaque restaurant sérieux du Piémont affiche des truffes à son menu. Invitée un jour à un assaggio (une dégustation) de truffes, j'imaginais naïvement un repas léger. Ceux qui ne sont pas faits pour la gastronomie devraient se méfier des invitations à des "dégustations" dans le Piémont, à commencer par la longue attente du début qui incite les imprudents à grignoter des baguettes de pain roulées à la main, connues sous le nom de grissini, une spécialité de Turin. Elles ont environ 90 centimètres de long, sont minces et irrégulières ; certaines sont roulées dans une fine semoule, d'autres relevées par des noisettes broyées.

Un plat fait ensuite son entrée, un simple plat de champignons ovoli reale (bolets) marinés (leur forme et leur saveur leur valent d'être qualifiés d'"œufs royaux"). Ils sont accompagnés d'un poivron jaune farci de basilic, de thon, de câpres, d'œufs durs et d'anchois. Tout cela descend facilement. Puis vient une assiette de veau cru finement tranché (sanato – "le meilleur d'Italie, abattu quand il est encore nourri au lait", a-t-on dit), nappé de jus de citron à la dernière minute, pour éviter la décoloration, puis garni d'huile d'olive, d'ail et de poivre noir, enfin laqué de tranches de truffes. Carne cruda all'albese. De la viande crue, à la façon d'Alba.

Un plat chasse l'autre. Un bol de fontina fondant, la fonduta, avec des couches de truffes enfouies en son cœur. Un plat de risotto al Barolo d'un rouge pourpre foncé, parsemé de truffes ("Le secret consiste à mettre le vin en premier lieu – une bouteille entière de Barolo !", explique le chef. Recette du risotto au vin blanc, page 51).

Carne cruda, ou carpaccio al gorgonzola, exécuté par Piero Bertinotti au restaurant Pinocchio à Borgomanero. Il s'agit en fait d'une simple préparation de bœuf cru finement tranché, nappé d'une sauce faite de gorgonzola doux, de crème, d'œufs, de citron, d'huile végétale, de vinaigre et de sel.

Un raviolo géant dans lequel un nid de truffes abrite un jaune d'œuf. Quelques cèpes, de la taille d'assiettes à salade, grillés sur un feu de châtaignes, de sorte qu'elles ont la même saveur qu'un steak, couvertes d'une savoureuse crème, et ointes d'huile truffée. Une bagna cauda (un bain chaud) d'huile d'olive, d'ail et d'anchois, au centre d'un éventail de légumes crus (recette page 54). Vient ensuite un civet de lièvre sauvage cuit dans du Barolo fortement parfumé de genévrier, de noix muscade, de clous de girofle, entourant une petite polenta des Alpes – accompagnée, une fois encore, d'une multitude de truffes.

L'hôte arbore un sourire d'encouragement : "Plus que trois plats".

Si vous vous trouvez pris dans l'une de ces fêtes pour lesquelles la région est réputée, la suite pourrait bien vous réserver le bui, le superbe bollito misto traditionnel du Nouvel An. Celui-ci doit contenir au grand minimum cinq viandes bouillies différentes, servies avec un quatuor de sauces éclatantes : un "bain" de tomate rouge, le bagnet tomatiche ; une sauce au miel et à la noix broyée appelée saussa d'avie ; une sauce verte (bagnet verd) d'ail, de persil, d'anchois et de pain ; et une mostarda d'uva, un mélange épicé de fruit candi et de sirop de moutarde (recette du bollito misto avec salsa verde, page 130).

Quand on tuait les cochons, une seule fois par an au début de l'hiver, on donnait une fête pour consommer les parties qui ne se prêtaient pas à la conservation. Ainsi se développa le gran fritto misto, où les abats sont trempés dans de l'œuf et des miettes de pain, puis frits dans du beurre et de l'huile d'olive avec de moelleux beignets de semoule, des champignons sauvages, des pommes et une crème au lait parfumée au chocolat.

L'orgie de nourriture peut sembler excessive, mais ce plétorique repas résulte d'anciennes privations. "Pas plus tard que dans les années 1940", m'a-t-on raconté, "des paysans de la montagne souffraient de rachitisme, parce que, des mois durant, ils n'avaient que de la polenta à manger – agrémentée, pour les plus chanceux, d'un anchois".

Les propriétaires d'une chèvre ou d'un troupeau de moutons n'avaient bien sûr pas de raison de manquer de nourriture. Les hautes collines d'Alta Langhe ont donné naissance à de nombreux plats à base de toma, un fromage au lait de brebis (appelé "di Murazzano" quand il est fabriqué à l'intérieur d'un petit cercle de villages). Il est souvent servi en entrée, généralement quand il ne date que d'une semaine et qu'il garde encore la saveur des herbes mangées par les moutons. Son parfum est relevé d'une sauce au persil, d'huile d'olive et de piments. Avant que l'huile d'olive n'ait acquis une large diffusion, les huiles utilisées auraient été l'huile de noix et de noisette.

À la fin d'un repas, on sert une toma graveleuse, au grain serré ; le résultat de deux à trois mois de vieillissement dans l'huile. Elle peut être remplacée par l'odorant formaggio con latte, un fromage qui donne sa pleine valeur au terme d'un autre mois passé sous du lait de vache ou de brebis ; on le consomme ensuite avec une cuillerée de son propre liquide crémeux.

Des recettes issues de cette cuisine pauvre, la cucina povera, composent *Nonna Genia* (Bonne-maman Genia), un livre de cuisine publié par le club des cavaliers des truffes et des vins d'Alba. Ceux-ci se rencontrent une fois par mois dans des trattorias de la région pour déguster des plats rustiques régionaux, legs de temps plus austères, et pour garder vivants leurs riches traditions et leur dialecte. Leur langage ressemble à ce que l'on entend dans les rues du Vieux Nice, où naquit Garibaldi, héros de l'unification italienne. Rappelons que Nice ne fut cédée à la France que sous le gouvernement fantoche de Camillo Benso comte de Cavour, durant le Risorgimento de 1849-61.

1. Toutes sortes de noix au marché de Porta Palazzo à Turin, la capitale du Piémont.

2. La récolte des raisins dolcetto à Albaretto, au nord-ouest de Cuneo.

3. Des olives pour tous les goûts au marché de Turin.

4. Cima ripiene alla genovese, du veau farci de jambon et d'œufs, servi avec du pain de campagne à Chiavari.

5. Les fameuses baguettes de pain de Turin, appelées grissini.

6. Plateaux de chocolats chez Peyrano, l'un des nombreux magasins de chocolat célèbres de Turin, berceau de l'industrie européenne du chocolat au XVIIIe siècle.

7. Agnolotti al pizzicotto, pâtes en forme de papillon farcies de viande et de légumes, au restaurant La Cròta à Roddi.

8. Un assortiment de fromages locaux accompagnés d'une bouteille de Barolo au restaurant Giardino da Felicin à Monforte d'Alba.

9. Citrons verts, framboises rouges et jaunes, fraises, mûres, myrtilles, petits kiwis, groseilles à maquereau et un grand melon à cornes armé de piquants au restaurant Da O'Vittorio à Recco en Ligurie.

NOCI JUMBO
SANISSIME
5.000
KILO
MANDORLE NUOVE
TENERISSIME
4.000
KILO

1

2

3

4

5

6

BAROLO

7

8

9

Le manteau de la misère, tombé il y a peu, a laissé des traces. À première vue le Piémont ressemble à la Toscane, avec les Alpes en toile de fond : les mêmes vignobles sillonnent la région et lui confèrent un aspect de velours côtelé, les mêmes villes médiévales sont perchées dans la colline. Mais si l'on y regarde de plus près, les villes piémontaises sont moins sybaritiques, les touristes achètent plus de Barolo que de villas. Les gens ici sont plus réservés – des paysans qui ont acheté leurs fermes et des vignobles rentables depuis peu avec la paie d'un des fils à l'usine.

La Toscane est le Bordelais de l'Italie, elle possède les vastes propriétés vinicoles et abrite les familles aristocratiques. Le Piémont, berceau de l'état moderne italien, est la Bourgogne, avec ses producteurs innombrables, obstinément indépendants, et sa petite noblesse. Et à la différence de la Toscane, dont bien des villes sont vouées à l'art, le Piémont n'a qu'une seule métropole : Turin, siège de la FIAT, l'endroit d'Italie où l'on travaille le plus dur.

Pour une ville où la voiture est reine, Turin est étonnamment élégante, ses vastes places entourées d'arcades rappellent les cités surréelles de De Chirico. On est tout aussi surpris de s'apercevoir que cette ancienne capitale de la Savoie française (de 1559 jusqu'au XIXe siècle) possède peu de recettes qui lui soient propres, peut-être parce que ses cuisiniers, contrairement à ceux de la campagne, furent fort longtemps influencés par la cour de France.

À l'exception des grissini, la cuisine de Turin s'adresse aux gens friands de douceurs. Le zabaione fut inventé ici au XVIIe siècle, quand un chef du roi répandit accidentellement du vin liquoreux dans une crème anglaise. Il y eut aussi les marrons glacés (en dépit du nom français) – faits des meilleures châtaignes d'Europe, les marroni (qui se distinguent des castagne, connues comme le pain du pauvre, moins succulentes), provenant du Val di Susa en dehors de Turin. La renommée des chocolatiers de la ville était telle que les Suisses y vinrent étudier leur art, mais ils ne séjournèrent pas assez longtemps pour maîtriser le mélange de beurre, de chocolat et de la tonda gentile della Langhe (une noisette bien ronde et douce des Langhe, qui marque ici de son empreinte toute une série de sucreries), formant une crème riche connue sous le nom de gianduia. Quand elle entre dans la composition de chocolats individuels, ceux-ci s'appellent gianduiotti. Il faut les déguster dans un des étincelants cafés de la ville avec un rapide bicerin, un mélange de café, de crème et de chocolat chaud sucré servi dans un verre proche d'un verre à thé russe.

À Turin, les collines et les montagnes boisées de Cuneo et des Langhe rejoignent la vaste plaine lombarde, le panier à pain de l'Italie, qui produit du seigle, de l'orge, du maïs pour la polenta, du blé et de l'avoine, ainsi que 60 % du riz du pays, ce qui explique l'abondance des recettes de risotto dans le Piémont.

Au nord de Turin s'ouvre le Val d'Aoste, qui mène aux cols du Mont-Blanc et du Saint-Bernard. Sa capitale, Aoste, fut fondée par les Romains pour contenir ces têtes brûlées de gaulois. Les rues rectilignes de l'Aoste d'aujourd'hui, héritées de l'époque romaine, sont dominées par les majestueux et intemporels Mont-Blanc, Mont-Rose et Matterhorn (Cervin). Chaque été, on transporte le bétail du Piémont en camion vers ces hauts pâturages.

Le lait des vaches de montagne donne le meilleur fontina, ce fromage crémeux qui, avec le ski, est le produit le mieux connu d'Aoste.

Fenêtre fleurie à Ameno, près du lac d'Orta dans le Piémont.

Une scène des environs de Gressoney-Saint-Jean, dans la vallée du Lys près de la frontière suisse. ▸

La cuisine du Val d'Aoste ne s'inquiète pas du cholestérol. Lors d'une fête qui se tient chaque année pour célébrer le porc bien succulent et gras de la ville d'Arnad, conservé dans des épices et des herbes alpines, un vieil homme fit la grimace en me voyant quelque peu stupéfaite devant ce qu'il me tendait : une épaisse tranche de lard, du rose le plus pâle qui soit, sur un gros morceau de pane nero chaud, le pain de seigle et de blé local (il enrichit la plupart des soupes de la région, y compris la fameuse soupe valpellinentze au chou et au fromage).

"Mangez, ma p'tite !", ordonna-t-il. J'ai gouté, léché mes doigts graisseux, puis j'en ai repris avec plaisir, tandis que le vieil homme riait. La même saveur d'herbe soulignait un boudin frit, cousin italien de tous les boudins noirs. Et le même pain de seigle foncé, cette fois coupé en tranches fines, réapparut comme support pour une crème anglaise sucrée qu'on nomme fiandolein, généreusement parfumée au rhum et au zeste de citron râpé.

Ce n'est pas une cuisine élégante, mais elle est bonne à sa façon. Les gens d'ici puisent leur énergie dans les protéines animales. Ils ont toujours élevé du bétail pour le fromage et le beurre plutôt que pour la viande, et il fut un

Un vieux berger avec son chien et ses chèvres près de Verrès, une ville forteresse du XIVe siècle dans le Val d'Aoste.

Sur le Sacro Monte, cette main peinte sur le mur indique la direction de la prochaine chapelle. Vingt chapelles furent construites durant les XVIIe et XVIIIe siècles sur cette colline, qui offre de fort jolies vues sur la ville d'Orta et son lac, en contrebas.

temps où l'on ne tuait les animaux qu'au soir de leur vie, devenus aussi durs que le cuir. La viande mijotait alors pendant des heures, pour produire le solide brouet essentiel pour les soupes du Val d'Aoste. On la conservait finalement dans des tonneaux de bois, avec de l'ail, des herbes et du sel, pour la consommer tout au long de l'hiver. Cette viande de bœuf "en conserve" est responsable de la saveur prononcée et terreuse des classiques carbonades.

Dans des montagnes aussi sauvages, le gibier et le poisson d'eau douce prennent une importance bien compréhensible. On fait mijoter le camoscio, un chamois sauvage que l'on trouve de moins en moins facilement, et on le sert avec de la polenta. On le traite aussi pour produire un jambon fumé connu sous le nom de mocetta.

Les gens du Val d'Aoste sont fiers de leur ambivalence culturelle, qui résulte de leur position aux frontières de l'Italie, de la France et de la Suisse. Mais à certains endroits de ces vallées reculées, cette ambivalence se résout d'elle-même, et la terre de Dante et de Michel-Ange cède finalement le pas à Guillaume Tell ou au Code Napoléon.

La truffe qui parfume le Piémont, parfume tout autant ses vins rouges au caractère bien affirmé. Peut-être y a-t-il là plus qu'une coïncidence, car ni le raisin rouge nebbiolo ni la truffe blanche ne prospèrent en dehors du Piémont – et avant l'époque des défenseurs acharnés du vignoble, on trouvait souvent des truffes à côté de la vigne.

Le Piémont possède plus de zones DOC (denominazione di origine controllata, l'équivalent de l'appellation contrôlée en France) que toute autre région d'Italie, et cependant il produit moins de volume de vin, concentrant sa créativité sur deux vins aristocratiques – l'austère et musclé Barolo et son pendant, le Barbaresco, plus rond, plus velouté – ainsi que sur deux "vins du peuple", des vins de tous les jours – le Barbera et le Dolcetto. Le Gattinara, originaire du nord du Pô, jadis renommé, est seulement en train de regagner une réputation qu'il a perdue pendant la dernière décade. Le Barolo et le Barbaresco tirent tous deux leur capacité de vieillir du raisin nebbiolo, mais les producteurs ont des idées divergentes : faut-il faire vieillir le vin dans un tonneau, comme le commande la tradition, ou dans une bouteille, pour obtenir un vin plus léger, qui atteint plus vite son sommet ? Le Dolcetto et le Barbera apparaissent souvent sur les tables du Piémont. "Analysez le sang piémontais", m'a-t-on dit, "et vous découvrirez qu'il est constitué pour plus d'une moitié de Dolcetto". Les bons producteurs de Barbera sont souvent des producteurs renommés pour leurs Barolo et Barbaresco, auxquels le meilleur Barbera ressemble.

Le raisin rouge occupe habituellement les plus ensoleillées et les meilleures des pentes supérieures des Langhe et des collines de Monferrato, mais le Piémont tire plus de profit du vermouth – et produit plus de vins blancs, en particulier le pétillant Asti Spumante (même si les gens de l'endroit préfèrent le Moscato d'Asti). Une redécouverte assez récente de vieux vins près d'Alba a donné l'Arneis au délicieux goût d'amande.

Le vin blanc domine tout autant en Ligurie, mais le meilleur vin de la région, le Rossese di Dolceacqua, qui se rencontre près de la frontière avec la Provence, est d'un rouge rubis vif. Son arôme rappelle les baies sauvages et les fleurs écrasées. Seule une quantité fort réduite part à l'exportation. Même les plus grands producteurs en exportent peu, bien qu'il soit moins rare (et mérite mieux sa réputation) que le légendaire blanc Cinqueterre. Seul le Sciacchetra, également de la région des Cinqueterre, légèrement doux, soutient la comparaison. Son raisin se développe sur des terrasses construites par des esclaves romains et il a une saveur qui, dit-on, est un résultat des embruns méditerranéens qui lavent ses vignes.

Les vins du Val d'Aoste, dont les vignobles sont les plus hauts d'Europe, intéressent le connaisseur. Bien que leurs dénominations soient françaises, leur style demeure italien. Deux des plus loués doivent leur survivance au clergé : le Blanc de Morgex, un vin délicat d'une couleur or verdâtre, avec des senteurs d'herbe, ressuscité après des années de déclin par le prêtre du village ; et le vin de dessert blanc Malvoisie de Nus. Mais le vin du Val d'Aoste ne sera jamais autre chose qu'une curiosité. Plus typique, peut-être, est la grolla que l'on fait passer après le dîner, un bol sculpté, à plusieurs becs, rempli de café que l'on arrose d'une grappa brûlante.

Leslie Forbes

Sculptures de Donigo Bussola évoquant la canonisation de saint François, dans une des chapelles du Sacro Monte près de la ville d'Orta. ▸

"la Cròta"
Arneis

La qualité du riz piémontais était déjà fameuse en 1787, quand, dit-on, Thomas Jefferson en fit sortir en contrebande du pays, important ainsi le premier riz du Piémont en Amérique. En Italie, le risotto se sert en entrée.

Antico Risotto Sabaudo Risotto au vin blanc

À la façon de Danilo Lorusso du restaurant La Cròta, Roddi

Pour 6 personnes

30 g de beurre
1 oignon de taille moyenne épluché et haché fin
100 g de dés de jambon cuit (chaque dé ayant 0,6 cm)
1 cuillerée à café de romarin haché, ou une petite pincée de romarin sec
400 g de riz Arborio
225 ml de vin blanc
1,4 l de bouillon de poule ou de bœuf chauffé
125 g de fromage fontina, coupé finement en dés de 0,6 cm
30 g de parmesan râpé
Jus de viande (facultatif)
Truffe blanche (facultatif)

Faites fondre le beurre dans une grande casserole et faites sauter l'oignon pour qu'il ramollisse. Ajoutez les dés de jambon et cuisez jusqu'à ce qu'ils soient à peine chauds, à peu près une minute. Ajoutez ensuite le romarin et le riz, et remuez jusqu'à ce que le beurre soit absorbé. Versez le vin et cuisez à feu doux jusqu'à son évaporation ; ajoutez alors suffisamment de bouillon pour que le riz soit couvert, et remuez. Continuez d'ajouter du bouillon bien chaud dès qu'il est absorbé par le riz, tout en remuant sans arrêt, à l'aide d'une cuillère en bois. Quand le riz est arrivé environ à mi-cuisson (au bout de 10 minutes), ajoutez le fromage fontina et prolongez la cuisson pendant 10 minutes encore, tout en ajoutant du bouillon si nécessaire. Pour finir, adjoignez le parmesan, ainsi que quelques cuillerées de jus de viande si vous le désirez, et servez. Si vous en disposez, râpez généreusement la truffe blanche par-dessus le tout.

Une portion d'antico risotto sabaudo avec des tranches de truffe blanche au restaurant La Cròta à Roddi .

◂ *Quelques-uns des ingrédients et le résultat final du plat piémontais par excellence, l'antico risotto sabaudo au restaurant La Cròta .*

Friscoë Beignets

À la façon de Gianni et Vittorio Bisso du restaurant Da O'Vittorio, Recco

Pour 6 personnes

1 paquet de levure sèche
110 ml de lait chaud
450 g de farine ordinaire
1 petit oignon épluché et haché fin
1 œuf
450 g de bourrache élaguée et hachée, ou de concombre épluché et râpé
Sel
Huile végétale pour friture, jusqu'à 1,5 cm du bord de votre poêle à frire.

Ajoutez la levure au lait chaud et laissez agir 15 minutes.

Mélangez la levure, le lait avec la farine, l'oignon, l'œuf, la bourrache ou le concombre, le sel et un demi litre d'eau. Utilisez une cuillère en bois ou un mixer à faible vitesse, afin d'obtenir une pâte très légère, presque coulante.

Laissez reposer durant environ une heure dans un grand bol couvert d'un tissus humide.

Chauffez l'huile dans une poêle à frire. Étant donné que la pâte est plutôt coulante et collante, plongez d'abord une cuillère dans l'huile brûlante, prenez ensuite quelques cuillerées à soupe de pâte et déposez-les dans l'huile.

Retournez les beignets dans la poêle et dès qu'ils sont légèrement dorés des deux côtés, ôtez-les de l'huile et égouttez-les sur du papier absorbant. Servez immédiatement *(photographie page 52).*

Un homme reniflant une truffe, estimée à quelque 500 FF, pour en contrôler la qualité, lors de la foire de la truffe qui se tient chaque année au mois d'octobre à Alba.

Friscoë, beignets (recette page 51), et verdure ripiene alla genovese au restaurant da O'Vittorio à Recco.

Les verdure ripiene, les légumes farcis, sont un plat traditionnel de Ligurie. À une époque qui ignorait encore les fours domestiques, les ménagères préparaient leurs légumes et les apportaient au boulanger de l'endroit. Lorsqu'il avait fini de cuire le pain mais que son four était encore bien chaud, il y faisait passer les verdure ripiene. Juste avant midi, on pouvait voir les femmes rentrant chez elles en portant de grands plats enveloppés dans des mandilli chamarrés, des torchons noués à leurs extrémités formant une anse. De nos jours, on sert ces légumes en entrée.

L'aubergine utilisée dans cette recette est la petite variété italienne ; si vous n'en disposez pas, remplacez-la par un poivron supplémentaire coupé en quatre.

Verdure Ripiene alla Genovese

Légumes farcis à la mode génoise

À la façon de Gianni et Vittorio Bisso du restaurant Da O'Vittorio, Recco

Pour 4 personnes

900 g de petits oignons blancs épluchés et coupés en deux
450 g de petites aubergines italiennes dont on aura enlevé les extrémités, coupées en deux dans le sens de la longueur
450 g de petites courgettes, émondées et coupées en deux dans le sens de la longueur
1 poivron coupé en quatre, épépiné et dont on aura enlevé les nervures
1 petit pain blanc coupé en deux
Du lait pour faire tremper le pain
55 g de parmesan fraîchement râpé
100 g de ricotta
2 œufs
Une pincée de marjolaine
Origan
Sel
Huile d'olive

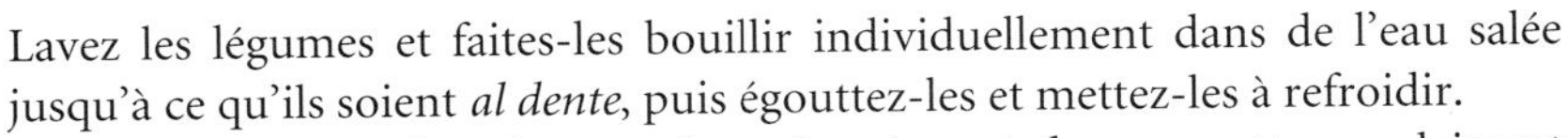

Lavez les légumes et faites-les bouillir individuellement dans de l'eau salée jusqu'à ce qu'ils soient *al dente*, puis égouttez-les et mettez-les à refroidir.

Retirez le cœur des oignons, des aubergines et des courgettes, en laissant environ un centimètre d'enveloppe, et débarrassez-vous de la pulpe de l'aubergine. Mettez la pulpe des courgettes et les cœurs d'oignon dans un bol.

Trempez le pain dans un peu de lait, faites sortir le lait en pressant pour sécher le pain, et mettez ce dernier dans le bol.

Pour réaliser la farce, hachez la pulpe des courgettes et les cœurs d'oignon avec le pain, ajoutez ensuite le parmesan et la ricotta, et mélangez à l'aide d'une cuillère en bois. Pour finir, ajoutez les œufs, une pincée de marjolaine et d'origan, salez à volonté et mélangez à fond (n'utilisez pas de mixer).

Préchauffez le four à 250° C.

Remplissez les enveloppes des légumes (les courgettes, les oignons, les aubergines et les morceaux de poivron) de farce jusqu'au-dessus et placez-les dans un plat à four huilé, en laissant au moins un centimètre entre les enveloppes. Versez quelques gouttes d'huile d'olive sur chacune et garnissez d'une pincée d'origan. Cuisez 20 à 25 minutes, ou jusqu'à ce que les enveloppes soient dorées sur le haut. Placez les légumes sur un plat de service et arrosez avec les jus de cuisson. Servez chaud ou à température ambiante en été.

Un choix de frittura mista (fruits de mer frits) au restaurant Da O'Vittorio : totani (calmar), acquadelle (anchois), mazzancolle et scampetti (deux variétés de crevettes grises).

L'intérieur du Mulassano, un café/bar populaire de Turin. ►

Pâtes non cuites au restaurant Da O'Vittorio, de haut en bas : trofie, pansoti et corzetti, des pâtes en forme de pièce de monnaie.

Les Corzetti sont des pâtes typiques de Ligurie. L'ustensile en bois utilisé dans le restaurant pour les fabriquer, en forme de pièce de monnaie d'à peu près 5 cm de diamètre, représente les armoiries de la famille Bisso, ce qui dessine des rainures dans la pâte et permet de retenir la sauce.

Corzetti Pâtes en forme de pièce de monnaie

À la façon de Gianni et Vittorio Bisso du restaurant Da O'Vittorio à Recco

Pour 6 personnes

La pâte :

325 g de farine complète ordinaire
1 œuf
60 à 80 ml d'eau
Une pincée de sel

La garniture :

30 g de beurre fondu
Salsa di noci (recette page 57)
55 g de parmesan râpé

Fabriquez la pâte à l'aide des ingrédients énumérés ci-dessus, en suivant les instructions de la page 247. Laissez reposer environ 10 minutes. Étendez la pâte au rouleau jusqu'à obtenir l'épaisseur d'une pièce de monnaie (la pâte doit être molle). Découpez-la en disques, en utilisant un ustensile rond d'environ 5 cm de diamètre, portant des rainures sculptées pour imprimer la pâte.

Cuisez les corzetti dans une grande quantité d'eau bouillante salée. Quand ils remontent à la surface, égouttez-les à fond. Placez-les sur un grand plat, et faites sauter ces corzetti avec le beurre fondu, la salsa di noci, et le fromage râpé pour servir.

Les ingrédients de la bagna cauda au restaurant La Cròta à Roddi. ▸

Quand on sert de la bagna cauda, on devrait avoir sous la main du gros rouge pour l'arroser abondamment et beaucoup de pain italien croustillant pour éponger les graisses.

Bagna Cauda Bain chaud

À la façon de Danilo Lorusso du restaurant La Cròta, Roddi

Pour 6 à 10 personnes

24 filets d'anchois conservés dans de l'huile
200 ml d'huile d'olive
45 g de beurre
5 ou 6 gousses d'ail épluchées
Un assortiment de légumes crus

Lavez et coupez finement les filets d'anchois.

Faites chauffer l'huile et le beurre dans une grande marmite (de préférence en terre cuite). Coupez des rondelles d'ail extrêmement fines, ajoutez-les dans la marmite, et chauffez à feu doux, en remuant sans cesse avec une cuillère en bois jusqu'à ce que l'ail soit juste tendre – il ne doit pas roussir ou devenir trop doré. Ajoutez les anchois et continuez à remuer à feu doux jusqu'au moment où ils commencent à fondre, soit durant à peu près 10 minutes.

Servez la bagna cauda bien chaude. On y plongera quelques légumes frais et crus, préparés en morceau de la taille d'une bouchée. Poivrons, céleri, carottes, chou-fleur, champignons, brocoli, oignons de printemps et même des pommes de terre à l'eau sont recommandés. Dans le Piémont, les cardons sont spécialement appréciés.

Le bain sera gardé chaud à table, mais ne pourra pas continuer à cuire après qu'il ait été servi.

Bagna cauda avec un choix de légumes frais locaux et de pain frais à y tremper, au restaurant La Cròta.

La recette originale du pesto utilisait du fromage pecorino, tout simplement parce que la Ligurie avait l'habitude d'échanger son charbon contre du pecorino de Sardaigne. Aujourd'hui, certaines personnes préfèrent le goût plus léger du parmesan, si bien que les cuisiniers trouvent un compromis en utilisant moitié de l'un, moitié de l'autre. Si on n'a pas de pecorino sarde sous la main, le pecorino romano peut le remplacer, même si sa saveur se révèle un peu plus forte. Prenez le temps, trouvez l'énergie pour utiliser un mortier pour cette recette-ci et la suivante, vous ne regretterez pas l'effort !
Vous pouvez servir le pesto sur quasi n'importe quelle pasta, avec des gnocchi, ou mélangé à du minestrone. Le pesto peut être mis en réserve au réfrigérateur, mais veillez à recouvrir d'huile pour éviter que la jolie couleur verte ne s'assombrisse.

Pesto Sauce au basilic et au pignon

À la façon de Gianni et Vittorio Bisso du restaurant Da O'Vittorio, Recco

Pour 6 personnes

Une pincée de gros sel ou à volonté
3 grands bouquets de basilic frais, lavés, séchés, dont on aura retiré les tiges, et hachés finement
3 gousses d'ail épluchées et hachées finement
50 g de pignons hachés finement
2 cuillerées à soupe de parmesan fraîchement râpé
2 cuillerées à soupe de pecorino fraîchement râpé
150 ml d'huile d'olive

Pilez le gros sel dans un grand mortier, ajoutez-y ensuite le basilic et l'ail. Ajoutez les pignons et continuez à piler le tout jusqu'à ce que le mélange soit parfaitement homogène. Pilez-y les fromages, versez pour finir l'huile d'olive, et mélangez convenablement. (Cette sauce peut aussi être réalisée à l'aide d'un mixer ou d'un robot de cuisine, même si dans ce cas vous mélangerez le fromage et l'huile à la main après avoir mixé les autres ingrédients, afin d'obtenir une meilleure consistance).

Salsa di Noci Sauce aux noix

À la façon de Gianni et Vittorio Bisso du restaurant Da O'Vittorio, Recco

Pour 6 personnes

2 gousses d'ail épluchées et hachées finement
Une pincée de sel
225 g de noix broyées
25 g de pignons hachés finement
110 ml de crème fraîche
140 ml d'huile d'olive
2 cuillerées à soupe de parmesan fraîchement râpé

Pilez l'ail avec le sel dans un grand mortier. Ajoutez les noix et les pignons et pilez jusqu'à ce que le mélange soit onctueux. Mêlez-y la crème et battez en ajoutant petit à petit l'huile d'olive. Pour finir, ajoutez le parmesan en remuant bien le tout. (Cette sauce peut aussi être réalisée à l'aide d'un mixer ou robot de cuisine).

Deux sortes de pâtes servies accompagnées de sauces typiques de la Ligurie au restaurant Da O'Vittorio, de haut en bas : pansoti alle noci et trofie di Recco al pesto.

◂ *Les ingrédients et le résultat final de la sauce pesto de Gianni Bisso au restaurant Da O'Vittorio.*

Focaccia con formaggio cuite et non cuite au restaurant Da O'Vittorio.

Quelques-uns des ingrédients et la préparation en cours de la torta salata au restaurant La Cròta. ▸

Focaccia con Formaggio Pain cuit au four avec du fromage

À la façon de Gianni et Vittorio Bisso du restaurant Da O'Vittorio, Recco

Pour 6 personnes

1 paquet de levure sèche
500 ml d'eau chaude
Une pincée de sucre
600 g de farine blanche
50 ml d'huile d'olive.
Une cuillerée à soupe de sel
900 g de fromage stracchino ou Bel Paese, coupé en morceaux de 2 cm

Ajoutez la levure à l'eau, avec du sucre, et laissez agir 10 minutes.

Faites un monticule avec 800 g de farine, sur un vaste plan de travail ou dans un grand bol. Creusez un puits profond au sommet du monticule, versez-y le mélange de levure et d'eau, les 50 ml d'huile d'olive et le sel. Ajoutez un peu plus de farine si la pâte n'est pas assez facile à manier, même si celle-ci devrait être plutôt mince. Pétrissez jusqu'à obtenir une consistance bien lisse. Laissez la pâte monter durant 1 heure dans un grand bol couvert d'un essuie humide.

Coupez la pâte en deux et étendez-la au rouleau pour former deux disques. Les disques seront aussi fins que possible et s'adapteront dans votre moule, l'un au-dessus de l'autre.

Préchauffez le four à 260° C.

Posez un disque de pâte dans le moule convenablement huilé et appuyez pour éliminer les éventuelles poches d'air. Disposez les morceaux de fromage par-dessus, en cercles concentriques, en partant du bord extérieur. Les morceaux de fromage seront séparés de 2 à 2,5 cm. Placez l'autre disque de pâte par-dessus, appuyez sur les bords pour les sceller et coupez la pâte qui dépasse à l'aide d'une roulette à pasta ou à pâtisserie. Pincez le sommet de la pâte avec vos doigts, 4 ou 5 fois, en la déchirant légèrement, ceci afin d'éviter que la focaccia ne "gonfle". Pour finir, versez quelques gouttes d'huile d'olive par-dessus tout. Ne cuisez pas la focaccia plus de 7 ou 8 minutes. Servez très chaud.

Torta Autunnale di Verdure

Tourte aux légumes d'automne

À la façon de Danilo Lorusso du restaurant La Cròta, Roddi

Une torta salata achevée, faite de champignons, de courgettes, de parmesan et de bettes, au restaurant La Cròta (recette d'une tourte similaire, à droite).

Pour 6 personnes

675 g de courgettes
Sel
Huile d'olive pour le moule
400 g de pâte feuilletée
2 œufs entiers et 3 jaunes d'œufs
Poivre
3 cuillerées à soupe de parmesan fraîchement râpé
100 g de ricotta
Une pincée de noix muscade
3 tranches de jambon cuit coupées en dés (chaque dé ayant 1,2 cm)

Préchauffez le four à 180° C.

Lavez les courgettes, retirez-en les extrémités, coupez ces courgettes en rondelles de moins d'un demi centimètre d'épaisseur, salez légèrement et placez-les dans une passoire pour les égoutter. Huilez un moule à tourte d'environ 20 centimètres de diamètre. Étendez la pâte feuilletée au rouleau à pâtisserie, pour en faire un disque légèrement plus grand que le moule, et placez ce disque dans le moule. Battez les œufs et les jaunes ensemble dans un bol de taille moyenne, puis incorporez les fromages. Ajoutez sel et poivre à volonté, la noix muscade et le jambon. Étalez le mélange de façon régulière tout au long du fond de la pâte feuilletée non cuite. Couvrez à l'aide des rondelles de courgettes.

Cuisez la tourte pendant 40 minutes, ou jusqu'à ce que la garniture soit gonflée et grillée sur le dessus. Servez chaud.

Brasato al Barolo Bœuf braisé au Barolo

À la façon de M. Rocca du restaurant Giardino da Felicin, Monforte d'Alba

Pour 6 personnes

Brasato al Barolo du restaurant Giardino da Felicin.

2 gousses d'ail épluchées
1 cuillerée à café de romarin frais haché fin, ou une petite pincée de romarin sec
3 cuillerées à soupe d'huile d'olive
1 oignon épluché et haché finement
1 branche de céleri et 3 carottes hachées finement
1 kg de rôti de bœuf solidement bridé
Sel et poivre
550 ml de Barolo

Hachez ensemble, très finement, l'ail et le romarin. Versez l'huile d'olive dans une marmite suffisamment grande pour contenir l'ensemble des ingrédients.

Faites sauter l'oignon jusqu'à ce qu'il soit translucide, puis ajoutez le céleri et les carottes. Faites sauter les légumes jusqu'à ce qu'ils soient tendres, ajoutez ensuite l'ail et le romarin et faites sauter pendant un moment encore. Mettez la viande dans la marmite et dorez-la sur toutes ses faces, ajoutez sel et poivre.

Versez le vin et laissez mijoter, en ayant couvert, à feu doux durant deux heures, ou jusqu'à ce que la viande soit tendre.

Retirez la viande de la marmite. Versez le liquide et les légumes dans un mixer ou un robot de cuisine et mélangez pour obtenir une sauce épaisse. Réchauffez la sauce, puis coupez la viande en tranches et servez-la nappée de sauce.

Fagiano Caldo in Carpione Faisan à la sauce aux échalotes

À la façon de Piero Bertinotti du restaurant Pinocchio, Borgomanero

Pour 4 personnes

Un faisan d'1,3 kg
2 cuillerées à café de romarin frais haché, ou une pincée de romarin sec
2 cuillerées à café de thym frais haché fin, ou une pincée de thym sec
1 cuillerée à café de sauge fraîche hachée, ou une pincée de sauge sèche
1/2 branche de céleri élaguée et hachée
1 oignon épluché et haché finement
3 carottes épluchées et coupées en fines rondelles
2 cuillerées à soupe d'huile d'olive
600 ml de vin blanc sec
30 g de beurre
2 échalotes épluchées et hachées
2 cuillerées à soupe de vinaigre
2 jaunes d'œufs battus
Sel et poivre

Quelques ingrédients et la préparation en cours du fagiano caldo in carpione au restaurant Pinocchio.

Farcissez le faisan avec les herbes. Faites sauter le céleri, l'oignon et les carottes dans l'huile, dans une grande casserole à fond épais, ajoutez ensuite le faisan et faites-le dorer sur toutes ses faces. Ajoutez le vin, un peu d'eau si nécessaire pour couvrir l'oiseau, et portez à ébullition. Couvrez la casserole et faites mijoter, à feu doux, durant 1 heure.

Pendant que le faisan cuit, faites fondre le beurre dans une petite poêle et faites revenir les échalotes jusqu'à ce qu'elles soient dorées. Mettez-les de côté.

Retirez le faisan de la casserole. Pour faire la sauce, filtrez les jus puis mettez-les à bouillir avec le vinaigre et les échalotes dans une casserole, jusqu'à réduction à 1/3 du volume initial. Mélangez deux cuillerées à soupe du liquide brûlant aux deux jaunes d'œufs, puis, en dehors du feu, mélangez les jaunes d'œufs au liquide qui a été réduit. Tout en fouettant, chauffez doucement jusqu'à l'obtention d'une sauce légèrement liée. Assaisonnez de sel et de poivre.

Découpez le faisan et servez-le nappé de la sauce (pour obtenir une sauce onctueuse, passez dans un mixer et filtrez avant d'ajouter les jaunes d'œufs).

Triglie alla Ligure Mulet rouge aux olives

À la façon de Gianni et Vittorio Bisso du restaurant Da O'Vittorio, Recco

Pour 2 personnes

2 mulets rouges de 225 g, lavés et écaillés
50 ml d'huile d'olive
140 ml de vin blanc
2 gousses d'ail épluchées et hachées finement
Une pincée de sel
50 g de petites olives noires, ou de grosses olives noires dénoyautées et coupées en tranches fines
2 cuillerées à soupe de persil haché finement

Préchauffez le four à 180° C.
Disposez le poisson dans un plat à four. Versez l'huile d'olive et le vin sur le poisson, ajoutez ensuite le sel et les olives. Couvrez de papier d'aluminium et cuisez 15 à 20 minutes ou jusqu'à ce que le poisson s'écaille aisément.

Saupoudrez d'ail et de persil haché finement, avant de servir.

Triglie alla Ligure, cru et cuit, au restaurant Da O'Vittorio.

Une vue de la ville de Chiama dans les collines au coucher du soleil, prise depuis Levanto, en Ligurie.

La famille Bolsieri réunie pour le déjeuner de Toussaint, dans la ferme familiale, Ca' de Pinci, près de Canneto sull'Oglio, juste à l'est de Crémone.

Le repas se prépare à côté de la cheminée dans la salle à manger de l'Albergo del Sole de Franco Colombani, à Maleo.

◂ *Les canards et les oies qu'élève la famille Santini dans un ruisseau s'écoulant derrière le restaurant Dal Pescatore, à Canneto sull'Oglio*

III. *Lombardie*

La lombardie est une mosaïque complexe de villes et de campagnes, comprenant neuf provinces très différentes, qui forment la plus vaste et la plus riche région d'Italie. S'étendant depuis les montagnes enneigées des Alpes et leurs austères contreforts, jusqu'aux riches terres cultivées de la vallée du Pô où il est aussi aisé d'implanter de verts champs de blé, de soja, de seigle et de maïs que ces peupliers dont les troncs minces forment un élégant écran à travers la campagne, la Lombardie se refuse à toute classification simple. Elle s'étend de la région de Lomellina, paradis de la culture du riz – à la limite du Piémont –, jusqu'à la cité ducale de Mantoue, dressée dans un paysage silencieux, à proximité tant de l'Émilie-Romagne que de la Vénétie, en passant par les lacs Majeur, de Côme et de Garde, tous d'une beauté propre à marquer profondément les mémoires. Chacune de ces provinces, parsemée de châteaux, de fermes, de cathédrales et de citadelles, a été façonnée par sa géographie particulière, qui garantit virtuellement la grande diversité de la cuisine lombarde. Une description trouvée dans le classique *Gastronomic Guide to Italy* de 1931, présente la région comme un coin de paradis, au sens large du terme : "De son sol fertile surgissent en abondance des céréales et des légumes de toutes sortes, vergers et vignobles couvrent ses coteaux, ... ses montagnes regorgent de gibier, ses rivières et ses lacs de poisson, ... ses plaines et les Alpes fournissent de riches pâturages permettant l'élevage intensif des vaches, dont le lait produit les fameux fromages et beurres qui font la renommée de la Lombardie".

Le Pô est le fleuve le plus important non seulement de Lombardie mais de toute l'Italie du nord, même si de nombreux autres cours d'eau sillonnent la région. Les ruisseaux glacés des Alpes s'écoulent dans les plaines ; des sources souterraines deviennent des lacs dans lesquels brochets, carpes, perches et tanches trouvent leur bonheur. L'anguille et l'esturgeon peuplent les nombreuses rivières de la région, tandis que les eaux canalisées irriguent la plaine et inondent les rizières, qui hébergent batraciens et minuscules poissons, dont les saveurs se communiquent aux risotti et aux sauces qui accompagnent la polenta. Ces canaux constituaient jadis les voies d'un intense commerce : l'essentiel du trafic de la région transitait par eux. Le Naviglio Grande, construit après la destruction de Milan par Barberousse en 1154, fut dès lors le lien entre la ville et la campagne, et ses eaux claires coulent aujourd'hui dans un quartier demeuré charmant – en dépit de son standing élevé – et fréquenté par les artistes, un quartier rempli de restaurants plus attirants les uns que les autres. Les autres canaux qui parcouraient la région sont souvent oubliés. Pour l'anecdote, on rappellera qu'ils furent jadis si importants que les dots des jeunes filles incluaient souvent la propriété de canaux au même titre qu'une loge à La Scala.

Je me félicite d'avoir vu la Lombardie au coté d'un ami dont chacun des actes prouve son amour de la région. Antonio a grandi en plein centre de Milan, fasciné très tôt par les parfums de cassoeula ou de tripes, cuites dans les rues par les ouvriers qui entretenaient les rails du tram. Enfant, il commença son exploration de la ville, errant parmi les voûtes du passé, les anciennes églises, et... ces vieilles maisons qui avaient leur jardin secret dans leurs cuisines, et lui renvoyaient le parfum et les saveurs d'un risotto doré au safran, de bols de minestrone fumants, de plats où s'entassaient de tendres boulettes de viande, les mondeghili, de poisson in carpione et d'ossobuco alla milanese.

Désireux de passer à une nouvelle phase de ses itinéraires de découvertes, il parcourut la campagne à bicyclette, s'arrêtant au bord des ruisseaux pour pêcher le poisson et le cuire sur un feu improvisé. Il tomba amoureux dès l'enfance de la toute petite ville de Maleo où, bien des années plus tard, il se maria à l'Albergo del Sole. Franco Colombani, le propriétaire de cette singulière auberge et restaurant de campagne, possède une bibliothèque de livres et de documents anciens dans lesquels il puise des recettes de plats régionaux. Avec un grand respect pour la tradition, il maintient vivante la culture culinaire de la Lombardie, tout en lui donnant une nouvelle interprétation, aux accents

Des vaches laitières dans la ferme Ca' de Pinci de la famille Bolsieri, près de Canneto sull'Oglio.

Le Mascarpone, un fromage triple crème, fabriqué au Consorzio Latterie Sociali Mantovane, une coopérative de Mantoue, où les fermiers apportent leur lait pour qu'il soit transformé en fromage et vendu directement aux commerçants.

d'une sensibilité toute moderne. Il fabrique du vinaigre balsamique dans sa propre *acetaia* et s'approvisionne en fromages et produits aux meilleures sources de la campagne environnante.

La Lombardie tire son nom des Lombards, une tribu de guerriers barbares germaniques qui recueillirent une part de l'héritage de l'Empire romain désintégré et se mirent à fortifier les villages de campagne. Ces Lombards ne léguèrent pas grand chose en matière de cuisine. Leur seule contribution culinaire connue est le pollo alla creta, du poulet recouvert d'une épaisse couche d'argile, cuit dans les braises, et qu'on sert ensuite en cassant la croûte durcie, pour enlever les plumes et révéler, à l'intérieur, un oiseau succulent. La faraona alla valcuviana, une pintade cuite de la même façon, est encore préparée dans le district de Brianza, juste au nord de Milan.

Ce sont des moines cisterciens français fort dynamiques qui inaugurèrent, au XIIe siècle, la grande tradition de la fabrication du fromage en Lombardie, quand ils se mirent à assécher les marécages et à irriguer la vaste étendue de terrains plats de la fertile plaine de Lombardie. Une fois drainée, la terre devint pâturage pour des vaches laitières

Des provolone et des rigatino mis à vieillir, à la coopérative Isola Dovarese à Crémone.

et pour le bétail dont la viande donne les rôtis, les ragoûts et les bolliti misti de la région. Au XVe siècle, une grande partie de la campagne était déjà vouée aux plantations de blé, de seigle et aux vertes pousses de riz à épi, par les familles Visconti, Sforza, Gonzague et d'Este, les dynasties régnantes de la région.

Ces familles posèrent les fondements sur lesquels vécurent leurs successeurs, nobles et marchands fortunés qui créerent les vastes domaines ruraux du XVIIIe siècle. Ces hommes révolutionnèrent la culture et le paysage quand ils créèrent les *cascine*, les monumentales fermes de pierres et de briques qui parsèment la plaine alluviale. Ces *cascine* aux toits de tuile cachent un monde agricole complet, surtout les vaches et les autres productrices de lait, tellement importantes pour la cuisine de la région, et le reste du bétail dont la viande enrichit les ragoûts et les stracotti.

C'est dans une telle ferme qu'est née la zuppa pavese, inventée pour François Ier, après sa défaite de Pavie en 1525. Ceux qui l'avaient capturé s'arrêtèrent dans une ferme et demandèrent à manger, expliquant qu'ils avaient un roi avec eux. Pour honorer un tel hôte, la fermière étala toutes les richesses culinaires qu'elle possédait. Elle fit sauter du pain dans du beurre à la façon d'un crostino, fit bouillir un peu de bouillon, y glissa un œuf cru, qu'elle pocha dans la chaleur du bouillon, saupoudra la soupe de fromage grana padana râpé, et vint déposer le plat devant le roi.

Ce ne fut ni le premier ni le dernier chef d'État à bien manger en Lombardie. Les guerres et les révolutions, les Français, les Espagnols, les Habsbourgs, Napoléon et les Autrichiens se succédèrent, laissant leurs signatures culinaires. Mais ces vissicitudes instituèrent surtout une double gastronomie : pour les nobles, des mets riches, compliqués, tels ceux que l'on servait à la cour de Mantoue, une des cours les plus splendides de l'Europe du XVIe siècle, et, à l'autre extrémité, des plats d'une totale simplicité, s'appuyant sur les saveurs de toutes les herbes sauvages, légumes verts ou céréales que fournissait la campagne locale.

La cuisine de Mantoue, en particulier, garde encore trace des opulents banquets de la famille des Gonzague au XVIe siècle, quand 45 services constituaient un dîner délicat. Certains plats, aux arômes vénitiens et orientaux de la Renaissance, n'apparaissent à table qu'à Noël, mais le restaurant Il Cigno préserve, avec une merveilleuse prévenance, toutes les saveurs du patrimoine culinaire de la cité, en servant, tout au long de l'année, des agnolini, raviolis farcis de bœuf bouilli ou de chapon, de moelle, de cannelle, de clous de girofle, de fromage et d'œufs ; il propose également les tortelli di zucca, des pâtes farcies de courge, une préparation douce et pleine d'aromates, avec de la mostarda et des biscuits amaretti (recette page 22) ; et une insalata di cappone, une salade de chapon aux saveurs aigres-douces terriblement tentantes (recette page 77). Les chefs du Il Cigno et d'autres chefs et cuisiniers de leur race trouvent leur inspiration dans les nobles traditions du passé : ils peuvent se fonder sur les ressources inépuisables que leur offrent les livres de Bartolomeo Sacchi, connu sous le nom de Platina, et ceux de Bartolomeo Stefani, qui fut chef de cuisine à la cour des Gonzague et nous a laissé *L'Arte di ben cucinare* en 1662.

Les richesses de la Lombardie ne sauvèrent pas pour autant les paysans et les ouvriers agricoles d'une vie misèreuse. Leur alimentation se fondait sur la polenta et les soupes, le minestrone de Milan, un mélange fort dense de haricots, de légumes, de fines herbes, de pancetta et de minuscules pastine, ou les nombreux minestre di riso, des soupes de riz, plus simples, qui combinent le riz avec des légumes verts amers ou de la courge, du chou, des légumes verts sauvages, des haricots, du poisson ou des foies de volaille.

La polenta a toujours été la nourriture du pauvre, spécialement dans le nord de la Lombardie (recette de la polenta, page 25). Elle est aussi variée que le risotto ou les pâtes, et, comme eux, elle s'offre des assaisonnements et accompagnements qui diffèrent d'une vallée à l'autre. Elle était faite, à l'origine, à base de n'importe quelle céréale mineure disponible – millet, sarrasin ou épeautre – et ne devint un plat populaire qu'après l'introduction du maïs jaune en Europe par Colomb. La polenta à la farine de maïs atteignit la Lombardie un siècle plus tard, après l'accueil enthousiaste qu'elle avait reçu en Vénétie, et l'on se mit bientôt à cultiver le maïs, puisqu'il poussait même là où aucune autre plante ne parvenait à prendre racine. L'arôme humide de la polenta flotte encore toujours dans les ménages ruraux, où on la prépare dans les grandes marmites de cuivre en forme de seau répondant au nom de paiolo. Elle est ensuite versée en un monticule crémeux sur une planche en bois, refroidie, coupée en tranches et grillée, ou bien réchauffée avec une sauce. Alessandro Manzoni, dans *I Promessi sposi*, a décrit la polenta comme "ressemblant à une lune de moisson dans un grand cercle de brume". La lune d'or rayonnante de la polenta est délicieuse en elle-même, mais elle devient aussi le véhicule rêvé pour les sauces qu'elle absorbe, ou sert d'accompagnement à tous les plats de viande et de poisson de la région. Des montagnes fumantes de polenta e osei, polenta et petits oiseaux, constitue le mets traditionnel des gens de Brescia et de Bergame, des gens à ce point épris de cette alliance qu'ils ont inventé le dessert trompe-l'œil polenta e osei, un simple gâteau en forme de bol de polenta, recouvert de pâte d'amandes, et couronné de petits gibiers à plumes en chocolat, qui encerclent sa crête.

Jusqu'au début de notre siècle, chaque famille fermière avait son propre cochon, et le porc, sous ses nombreuses livrées, a toujours les faveurs de la région. Il devient avec beaucoup d'élégance saucisses et salame, spécialement dans la zone s'étendant juste au nord de Milan qui produit du salame di Milano, se transformant en luganega à Monza et en salamella à Crémone.

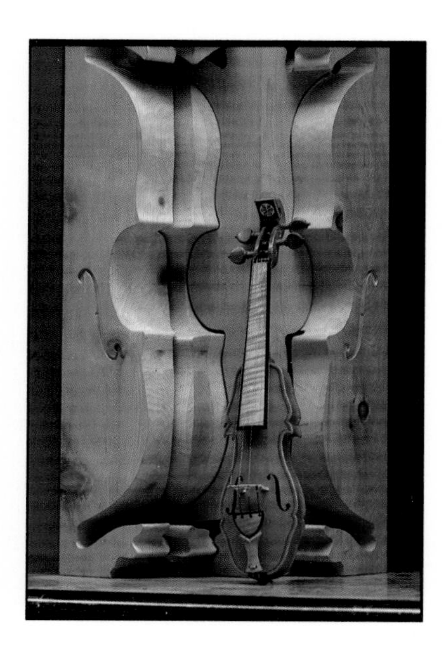

Un baquet de moutarde de Crémone au magasin Saronni à Crémone. Cette "moutarde" est un condiment élaboré à base de nombreux fruits entiers différents conservés dans un épais sirop parfumé à la moutarde.

Exposition d'une œuvre de la Scuola Internationale di Liuteria, dans la vitrine d'un magasin de violons de Crémone.

Un étalage de saucisses lombardes classiques : salamini dei morti, cotechini, salsicce et zampone. Ces saucisses peuvent être simplement cuites avec du chou, de l'oignon et du céleri, comme on le fait ici à l'Albergo del Sole à Maleo.

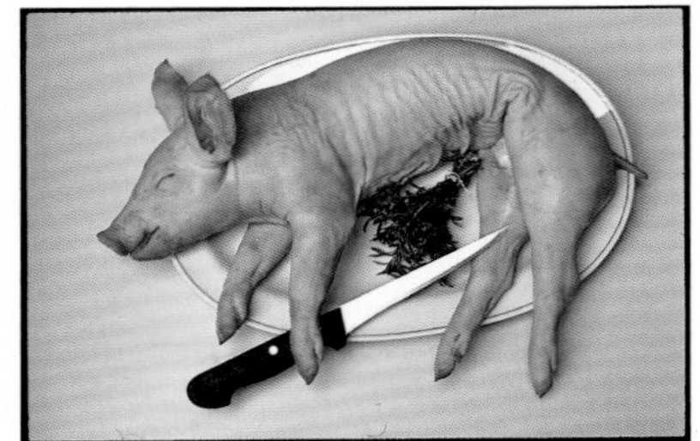

Un cochon de lait prêt pour la cuisson à la Bottega del Maiale de Peck à Milan.

Celui qui s'est déjà régalé de ses fromages ou a savouré ses beurres, ses viandes riches et ses polentas, sait que la cuisine lombarde favorise l'accroissement du taux de cholestérol. Le beurre est la graisse de cuisson utilisée quasi partout, et la viande, en particulier le veau et le bœuf, est fréquemment présente à table. Nous pouvons percevoir l'influence de la France dans l'usage milanais de la crème – les Milanais fortunés emmenaient leurs cuisiniers à Paris au XIXe siècle – et déceler la main de l'Autriche dans la façon de cuire lentement la viande en ragoût ou de la braiser. On reconnait également l'organisation autrichienne dans la méticuleuse netteté des champs de la région.

Les fromages sont présents dans toutes les parties de la Lombardie, depuis les hauts pâturages alpins où paissent des vaches et des chèvres jusqu'aux *cascine* de la fertile plaine du Pô. Les fromages s'inscrivent dans le cadre d'une industrie hautement organisée, qui contribue à la remarquable prospérité de la Lombardie, mais ils relèvent en même temps d'une tradition artisanale. Les roues de grana padana, ce fromage granuleux pareil au parmesan, qui est confectionné dans la région depuis dix bons siècles, donnent de bien jolies râpures, qu'on répand sur les minestre, les pâtes et les risotti. Le Gorgonzola veiné de bleu, qui porte le nom de la ville qui le produit, se présente comme un fromage doux crémeux de couleur ivoire ou, si on l'a laissé vieillir, comme un fromage plus piquant. Le doux Bel Paese et le provolone lombard sont des produits d'exportation qui nous sont familiers. Le crémeux stracchino, le doux taleggio, le quartirolo, ou le robiola plus coulant, tous membres de la même famille, sont fabriqués à partir du lait de vaches qu'on laisse brouter dans des pâturages riches de plantes et d'herbes sauvages. Le mascarpone, le délicat triple crème frais, pourrait avoir été, à l'origine, un genre de ricotta, selon un document de Côme remontant à 1168. Il est à présent utilisé principalement pour des desserts. Beaucoup des fromages des montagnes de la Valteline et du Val Gerola – bitto, bagoss, casera et sciumudin au lait de chèvre – ne sont connus qu'en Lombardie.

Les Lombards sont particulièrement attachés aux risotti. Ils cultivent le riz depuis le XVe siècle et ils en mangent donc logiquement plus que des pâtes ou de la polenta. Le riz à grain court pousse partout dans les environs de Milan (d'où le célèbre risotto alla milanese) et près de la fameuse chartreuse de Pavie où des moines créèrent le risotto alla certosina en relevant le riz avec des écrevisses, du poisson d'eau douce ou ces grenouilles qui pullulent dans l'eau qui recouvre les champs durant les mois de croissance. Plus loin vers l'est, le singulier risotto alla pilota de Mantoue fut créé par des gens chargés de monder le riz, qu'on surnommait les piloti. C'est un riz plus pilaf que risotto : les grains de riz sont versés dans la marmite pour former un cône, qu'on couvre presque totalement d'eau, avant de le faire cuire sans surtout le remuer. On le sert avec une saucisse locale parfumée à l'ail et aux épices, appelée pesto.

Faire la liste – même basique – des risotti aux saveurs campagnardes devrait inclure une version avec saucisse provenant de Monza, le risotto con le rane (avec des grenouilles) de Lomellina, un risotto à la perche qui vient du lac de Côme, et le risotto alla vogherese, préparé avec des poivrons rouges.

Divers salumi, viandes salées de Lombardie : pancetta, culatello, salame, coppa et cacciatorino. Le vin et un peu de pain frais, comme les rosetta, panino all'olio et miccone photographiés ici, constituent un accompagnement parfaitement approprié pour les charcuteries servies par M. Colombani à l'Albergo del Sole.

Quelques fermes et un petit vignoble près de Domodossola.

Il est clair qu'il n'y a pas un style de cuisine unique en Lombardie, puisque la province offre autant de styles que de régions. Trois de ces régions – celles de Pavie, Crémone et Mantoue – sont situées dans la plaine ; Sondrio se place dans la montagneuse Valteline; et deux autres régions occupent les zones de lacs de Côme et de Varèse. Bergame, une ville aristocratique, et Brescia, qui en est proche, connurent toutes les deux la domination de Venise durant des centaines d'années, et leur cuisine reflète encore cette influence, tandis que Milan, la capitale, compte de nombreuses spécialités qui n'appartiennent qu'à elle.

Milan est indiscutablement la capitale gastronomique de l'Italie, même si cette ville devenue cosmopolite semble avoir perdu tout intérêt pour ses traditions propres. Ses centaines de restaurants et trattorias servent des plats de toutes les régions et créent constamment de nouvelles sensations culinaires pour séduire les amoureux d'une cuisine raffinée. La *nuova cucina* de Gualtiero Marchesi, dont l'élégant restaurant a modelé toutes les expériences gastronomiques de l'Italie des années 1980, a quelque peu marqué le pas, alors que la paninoteca, une sorte de sanctuaire à la dévotion du sandwich, s'affiche comme le pur reflet d'une tendance profondément incrustée dans cette ville de gens toujours pressés, où les habitudes de travail sont bien plus américaines qu'italiennes. Milan est le siège de Peck, un empire de magasins d'alimentation implanté dans le centre de la ville, une institution atteignant à sa façon l'ampleur du Duomo ou de la Galleria. La chaîne Peck comprend une épicerie fine qui propose virtuellement les meilleurs fromages, saucisses et salamis du pays ; un magasin consacré exclusivement aux produits du cochon, un autre rien qu'aux fromages ; un troisième aux volailles – toutes les variétés connues y cuisent sur des broches disposées devant un feu de bois.

Au nombre des plats milanais typiques, nous reprendrons le risotto alla milanese, préparé avec de la moelle de bœuf et du safran (recette page 79) ; l'ossobuco, du jarret de veau braisé servi avec de la gremolada, un mélange de citron râpé, de persil et d'ail finement hachés, dont on asperge la viande (recette page 80) ; la busecca, un plat de tripes d'un raffinement incomparable ; et la costoletta alla milanese, une côtelette de veau panée et frite qui, du moins les Milanais le prétendent, inspira aux Autrichiens le Wiener Schnitzel.

Beaucoup de spécialités milanaises ont été créées à la Renaissance, quand les médecins croyaient que l'or était bon pour le cœur. Quand ils arrivaient à table, les plats de viande et de volaille miroitaient dans de l'or magnifiquement martelé ; cet or semblait si important aux Milanais du XVIIe siècle qu'ils allèrent même jusqu'à en couvrir le pain. Il saute aux yeux que les gens plus pauvres durent avoir recours à un ingrédient de substitution : aussi, essayèrent-ils de tremper les plats dans des œufs battus – d'où la costoletta, une boulette de viande dans une croûte dorée – et ajoutèrent-ils la teinte dorée du safran au risotto, donnant ainsi naissance au risotto alla milanese.

Trois villes importantes se succèdent dans la vallée du Pô. Pavie est située au-delà du fleuve, sur le côté sud, où les grenouilles qui nagent dans ses eaux et dans les champs de riz se retrouvent bientôt transformées en rane in guazzetto, des cuisses de grenouilles que l'on cuit à la casserole dans une sauce tomate parfumée aux herbes et au vin.

Ludovico Sforza encouragea l'élevage d'oies dans la localité toute proche de Lomellina, pour que ces animaux puissent vivre dans l'environnement favorable des rizières et... pour que lui-même et tous les ducs au pouvoir à Milan puissent se régaler en dégustant des oies savoureuses. Des communautés juives préparèrent le premier salami d'oie, le salame d'oca, au Moyen Âge ; toutefois, la version actuelle contient environ 1/3 d'oie, 1/3 de viande de porc maigre et 1/3 de graisse de porc ou pancetta, et elle tire sa saveur extrêmement forte de toute une variété d'épices, parmi lesquelles du poivre noir et de la coriandre.

Crémone, renommée pour ses maîtres luthiers et ses élégants palazzi de brique et de terre cuite, sert des marubini, raviolis aux bords ondulés, farcis de viandes braisées, de moelle de bœuf et de parmesan, et elle est connue à la fois pour son torrone, un nougat fait de miel et d'amandes, devenu dessert national à Noël, et pour la mostarda, des fruits confits dans une sauce moutarde sucrée et fort piquante, destinée à être servie avec des viandes bouillies.

Grâce aux hautes montagnes qui protègent la région des lacs du temps froid septentrional, olives, citrons et raisins prospèrent dans les collines couvertes de vignes qui s'étendent de Brescia au lac de Garde. À Garda, la campagne est parsemée d'oliviers d'un gris argenté, produisant une huile légère très recherchée, et de plantations d'agrumes ; en parlant de ceux-ci, D.H. Lawrence écrivit un jour que les oranges sont comme "les lumières d'un village le long du lac la nuit, tandis que les pâles citrons, plus haut, sont les étoiles".

Les lacs de Lombardie, avec leurs rives vertes, leurs jardins luxuriants et leurs villages de pêcheurs, se rangent parmi nos plus mémorables souvenirs d'Italie. La truite, la truite saumonée et la carpe, célébrées par Catulle et très présentes sur les tables impériales de Rome, viennent des eaux du lac de Garde, tandis que le lac de Côme donne la perche et une espèce d'alose appelée agoni, dont on fait le misoltitt, alose séchée au soleil, déposée en couches dans des tonneaux spéciaux et ensuite doucement ravivée au vin rouge, grillée, et arrosée de vinaigre ou de sauce verte.

Les spécialités vigoureuses de la montagneuse Valteline s'avèrent aussi rustiques que son climat alpin et son paysage accidenté le suggèrent. La bresaola, du bœuf séché à l'air, fort proche de goût du jambon fumé, et les violini, des jambons de chevreau salés et fumés, se servent toujours comme hors-d'œuvre. Les pizzoccheri, des lasagnes au sarrasin cuites avec des pommes de terre, du chou et de l'ail, sont servis avec du fromage bitto au goût piquant, tandis qu'on fait sauter la polenta au sarrasin, la polenta taragna, avec du beurre et du fromage.

Le marché de la piazza delle Erbe à Mantoue.

L'homme ne peut pas vivre uniquement de pain, mais les Italiens ne peuvent pas vivre sans lui. Le fameux pain de Côme est toujours célébré partout dans la région, tant pour sa saveur ineffable, qu'on attribue généralement à l'eau, que pour son caractère délicatement croustillant. Les Milanais seraient perdus sans leurs michette, ces petits pains creux bien croquants, parfaits pour accueillir les salamis et les fromages de Lombardie.

Le panettone est probablement né comme pain de Noël dans le Milan du Moyen Âge, quand des boulangers enrichissaient la pâte du pain quotidien, qu'ils appelaient panett, en y ajoutant du beurre, des œufs, du sucre et des raisins secs de Smyrne, afin de confectionner un gros et dense pain de fête, auquel ils donnèrent tout naturellement le nom de panettone. Dans les années 1920, un boulanger milanais nommé Angelo Motta provoqua une révolution quand il utilisa de la levure naturelle dans la pâte et versa celle-ci dans des moules de cuisson cylindriques à parois hautes, produisant ainsi ces pains fins terminés par des dômes élevés que nous connaissons aujourd'hui comme le pain national de Noël de l'Italie. La colomba de Pavie est presque identique au panettone, bien que cette version de Pâques ait la forme d'une colombe et soit couverte d'une couche croquante de sucre cristallisé et d'amandes entières grillées.

Même si la Lombardie ne se range pas parmi les principales régions viticoles d'Italie, plusieurs zones DOC produisent d'excellents vins. Les vignobles en pente de l'Oltrepo Pavese, la zone sud du Pô, proposent des rouges chaleureux comme l'Oltrepo Pavese lui-même, l'Oltrepo Bonarda et l'Oltrepo Barbera, ainsi que des blancs comme l'Oltrepo Pinot et l'Oltrepo Riesling.

Les vins de la Valtellina, entre le lac de Côme et le lac de Garde, se divisent en deux catégories : les vins des pentes supérieures, composés entièrement de raisin nebbiolo, et les vins originaires de la vallée, qui sont mélangés à 30 % d'autres raisins. Les vins dits Valtellina Superiore ont au moins deux ans d'âge ; leurs noms évocateurs, qui désignent les zones de production, sont Grumello, Inferno, Sassella et Valgella. Le Sfursat, un vin couleur grenat, hautement alcoolisé, ressemblant à l'Amarone, est un vin robuste produit en laissant les raisins nebbiolo se ratatiner en plein soleil sur la vigne.

Entre autres vins mémorables provenant de Franciacorta, dans les provinces de Brescia et du lac de Garde, on peut citer le Franciacorta Pinot, un blanc sec fruité de premier ordre, le Franciacorta Rosso, un rouge élégant, et un certain nombre d'excellents vins de table de caractère produits par Ca' del Bosco et Bellavista. Mais des gourmets peuvent aussi élire des vin d'autres régions pour accompagner des plats lombards ; cependant, ces consommateurs, comme d'ailleurs la plupart des Italiens, préfèreront, quand il s'agit de fêter un événement, un Spumante de Franciacorta, blanc ou rosé, ces deux vins comptant parmi les plus attrayants et les plus fins des vins mousseux pétillant que l'Italie produit.

Carol Field

Une bouteille de Vino Santo de 1877, photographiée à l'Albergo del Sole, l'accompagnement parfait pour les différentes sucreries présentées sur la page d'en face.

Gâteaux, biscuits et bonbons à l'Albergo del Sole à Maleo. Dans le sens contraire de celui des aiguilles d'une montre, depuis le haut : croccante, biscotti, torrone, tortionata, margherite di stresa con e senza cacao et pasta frolla. ▸

Aceto

Insalata di Cappone Salade au chapon

À la façon de Franco Colombani de l'Albergo del Sole, Maleo

Pour 4 personnes

450 g de viande de chapon, de poulet ou de dinde désossée cuite, coupée en lamelles
2 cuillerées à soupe de raisins secs, trempés dans de l'eau
1 cuillerée à soupe de citron confit ou de zeste de citron coupé fin
Le jus d'un citron frais
Une pincée de sel
Une petite pincée de poivre
80 ml d'huile d'olive extra-vierge
1 cuillerée à soupe de vinaigre balsamique
1 cuillerée à soupe de vinaigre de vin
Des feuilles de salade, assaisonnées à volonté de sel et de poivre

Mettez les lamelles de volaille dans un bol et ajoutez les raisins secs égouttés, le zeste confit coupé fin, le jus de citron, sel et poivre. Mélangez avec l'huile et les vinaigres, et laissez se reposer durant 1 à 2 heures.

Servez dans des assiettes individuelles sur un lit de feuilles de salade assaisonnées.

Maccheroni alle Verdure Macaronis à la sauce de légumes

À la façon de Franco Colombani de l'Albergo del Sole, Maleo

Pour 4 personnes

50 ml plus 15 ml d'huile d'olive
1 oignon épluché et haché fin
1 aubergine non épluchée et coupée finement (dés de 2 cm)
4 tomates pelées en boîte, égouttées et hachées finement
1 gousse d'ail épluchée et hachée finement
100 g de haricots verts coupés finement
Sel
1 poivron vert coupé en dés
1 cuillerée à soupe d'origan frais haché fin ou 1 cuillerée à café d'origan sec
Poivre
300 g de macaronis
4 cuillerées à soupe de parmesan fraîchement râpé

Chauffez à feu moyen 50 ml d'huile d'olive dans une grande poêle à frire et ajoutez l'oignon, l'aubergine, les tomates et l'ail. Laissez mijoter à feu doux jusqu'à ce que l'aubergine et l'oignon soient tendres.

Pendant ce temps, cuisez les haricots verts dans de l'eau salée à feu doux, jusqu'à ce qu'ils soient tendres mais encore un peu croquants ; égouttez-les et mettez-les de côté. Faites sauter le poivron vert dans une petite poêle à frire, avec 15 ml d'huile d'olive, jusqu'à ce qu'il devienne tendre, et saupoudrez de l'origan. Ajoutez le poivron vert à l'aubergine et à l'oignon qui mijotent. Quand ils sont presque cuits, assaisonnez et prolongez la cuisson de 5 minutes.

Pendant que la sauce mijote, cuisez les macaronis dans une grande quantité d'eau bouillante salée, jusqu'à ce qu'ils soient *al dente*, en remuant de temps en temps. Égouttez la pasta et placez-la dans un bol de service, nappez de la sauce de légumes et tournez doucement. Garnissez de parmesan.

Les ingrédients et le résultat final des maccheroni alle verdure à l'Albergo del Sole à Maleo.

◂ *Les ingrédients et la présentation de l'insalata di cappone à l'Albergo del Sole. La version de cette salade au chapon de M. Colombani dérive d'une recette apparaissant dans un livre de cuisine du XVIIe siècle.*

Tagliatelle con uovo e tartufo à l'Albergo del Sole.

Il s'est instauré un grand débat parmi les gourmets pour savoir comment il faut servir les truffes. Certains disent avec des tagliatelles, d'autres sur des œufs. Cette version-ci a le mérite de "mettre les bouchées doubles", opérant ainsi un compromis des plus savoureux.

Tagliatelle con Uovo e Tartufo Tagliatelles à l'œuf et à la truffe

À la façon de Franco Colombani de l'Albergo del Sole, Maleo

Pour 4 personnes

500 g de tagliatelles fraîches
4 jaunes d'œufs
100 g de beurre fondu
Une truffe blanche

Cuisez les tagliatelles dans une grande quantité d'eau bouillante salée, durant 1 ou 2 minutes (pour les instructions concernant la fabrication des tagliatelles fraîches, voir en page 247). Cuisez les jaunes d'œufs entiers dans du beurre, dans une petite casserole, jusqu'à ce qu'ils soient à peine fermes. Égouttez les pâtes quand elles sont cuites, et répartissez-les équitablement dans 4 bols à soupe individuels peu profonds et bien chauds. Versez le beurre fondu sur les tagliatelles, puis mettez un jaune d'œuf sur le dessus de chaque portion. Pour finir, râpez généreusement la truffe à la surface de chaque bol et servez.

Franco Colombani dans la cour de l'Albergo del Sole, avec son chien Al et un panier de champignons chiodini.

Filetto di Maiale all'Aceto Balsamico e Rafano

Filet de porc au vinaigre balsamique et à la sauce au raifort

À la façon du chef Fulvio De Santa du restaurant Peck à Milan

Pour 4 personnes

8 filets ou minces côtelettes de porc de 70 g
30 g de beurre
2 gousses d'ail épluchées et hachées gros
180 ml de vin blanc
Une petite pincée de poivre
170 ml de bouillon de poule ou de légumes, ou de l'eau
Une pincée de sel
1 cuillerée à café de concentré de tomate
1 cuillerée à café de vinaigre balsamique
1 1/2 cuillerée à soupe de raifort préparé, ou de raifort frais, râpé et trempé dans de l'eau glacée

Faites sauter les filets de porc dans le beurre avec l'ail, dans une poêle de taille moyenne. Aussitôt que le porc a pris une jolie coloration dorée sur les 2 faces, retirez l'ail. Versez le vin et cuisez doucement jusqu'à ce qu'il se réduise à environ 30 ml. Assaisonnez de sel et de poivre, et enlevez les filets de la poêle.

Ajoutez le bouillon aux jus dans la poêle, en compagnie du concentré de tomate. Cuisez jusqu'à ce que la sauce soit liée. Pour finir, ajoutez le vinaigre balsamique.

Disposez les filets sur un plat de service ou dans des assiettes individuelles. Versez la sauce sur le dessus et saupoudrez de raifort. Servez immédiatement.

L'utilisation de zafferano (safran) comme épice a des origines lointaines. Ce sont vraisemblablement les Arabes qui furent les premiers producteurs de safran, son nom provenant d'un mot arabo-persan, le zahfaran, ou safran cultivé. Les Romains s'en servaient pour parfumer leurs théâtres, et on lui attribuait des vertus thérapeutiques, surtout comme remède pour soigner la peste ou comme moyen de s'en prémunir.
Chaque safran cultivé ne renferme que trois pistils comestibles, ce qui rend le safran authentique fort coûteux. Le prix du safran varie largement en fonction de sa qualité et de son pays d'origine ; soyez donc à l'affût de la bonne affaire.
La cuisine du nord de l'Italie, préfère le beurre à l'huile d'olive. Pour le risotto, le beurre constitue un impératif. Le risotto alla milanese est traditionnellement servi avec de l'ossobuco (recette page 80).

Un panier de champignons chiodini frais, venant du jardin de l'Albergo del Sole. M. Colombani utilisera de l'huile d'olive et les clous de girofle, les grains de poivre, la cannelle, la noix muscade et la feuille de laurier pour conserver les chiodini.

Risotto alla Milanese Riz au safran

À la façon de Pier Giuseppe Penati du restaurant Pierino, Viganò

Pour 6 personnes

2 l de bouillon de poule ou de bœuf, ou de l'eau
90 g de beurre
1 petit oignon épluché et haché fin
1 cuillerée à soupe de moelle de bœuf (facultatif)
400 g de riz long-grain
125 ml de vin blanc sec
Une petite pincée de safran en poudre, dissous dans 30 ml de bouillon chaud
2 cuillerées à café de sel
Poivre
80 g de parmesan râpé

Pendant que vous faites chauffer le bouillon dans une marmite, mettez à fondre 60 g de beurre dans une autre grande casserole à feu moyen ; puis faites sauter l'oignon haché fin dans le beurre jusqu'à ce qu'il acquière une couleur dorée pâle. Il n'est pas obligatoire d'ajouter la moelle de bœuf à ce stade, mais si vous le faites, votre risotto n'en sera que plus riche.
Ajoutez le riz à l'oignon et remuez à l'aide d'une cuillère en bois jusqu'à ce que le riz soit convenablement enduit du beurre. Ajoutez le vin et remuez jusqu'à ce qu'il ait presque totalement été absorbé. Ensuite, versez suffisamment de bouillon chauffé pour couvrir le riz, et remuez. Maintenez le riz à feu moyen, en remuant et en raclant constamment le fond de la casserole. Quand le bouillon a été absorbé, ajoutez-en davantage au riz, à peu près 125 ml à la fois, et continuez de remuer.
Lorsque le riz est cuit, il devra être crémeux et les grains devront être tendres et fermes à la fois – ceci demandera environ 20 minutes. Remuez le mélange safran/bouillon jusqu'à ce que le riz soit uniformément coloré et parfumé. Assaisonnez de sel et de poivre.
Mélangez 50 g du fromage et les 30 g de beurre restants au riz. Servez en garnissant à l'aide du reste du fromage, avec de l'ossobuco *(photographies en pages 80 et 81).*

Des champignons chiodini de Franco Colombani mis en conserve à l'Albergo del Sole à Maleo. On les servira comme hors-d'œuvre.

Ossobuco signifie "os avec un trou". Il s'agit d'un petit jarret de veau complet, avec sa moelle, assaisonné de fines herbes et de citron. C'est un plat extrêmement réputé, que les Milanais associent au risotto alla milanese (recette page 79) – une occasion rare dans la cuisine italienne de voir les premier et deuxième plats servis ensemble.

Ossobuco Jarrets de veau

À la façon de Pier Giuseppe Penati du restaurant Pierino, Viganò

Pour 4 personnes

3 cuillerées à soupe de farine
4 tranches de jarret de veau, chacune d'une épaisseur de 5 cm
60 g de beurre non salé
30 ml d'huile végétale
1 petit oignon épluché et haché fin
125 ml de vin blanc sec
Du bouillon de veau ou de l'eau
Une pincée de sel
Une petite pincée de poivre

La gremolada :
4 cuillerées à soupe de persil haché fin
1 cuillerée à soupe de zeste de citron râpé
1 gousse d'ail épluchée et hachée finement

Saupoudrez soigneusement de farine les tranches de veau, éliminez tout surplus, et faites dorer convenablement ces tranches de veau dans 30 g du beurre et 15 ml de l'huile, à feu moyen. En utilisant une autre casserole, large, peu profonde et lourde, faites dorer l'oignon dans les 30 g de beurre et les 15 ml d'huile restants. Disposez la viande bien dorée dans la casserole de l'oignon, sans bourrer, de telle façon que la moelle ne puisse pas s'échapper pendant la cuisson de la viande. Cuisez durant 2 minutes, puis ajoutez le vin et mijotez.

Quand le vin s'est partiellement évaporé, ajoutez suffisamment de bouillon ou d'eau pour amener la sauce à proximité du sommet de la casserole, sans couvrir la viande entièrement. Assaisonnez de sel et de poivre. Cuisez, en ayant couvert, durant 1 1/2 à 2 heures, à feu doux, jusqu'à ce que la viande soit très tendre, en ajoutant du bouillon ou de l'eau si nécessaire pour maintenir suffisamment de sauce. Remuez et arrosez de temps en temps pendant la cuisson, tout en vous assurant que la viande n'attache pas dans la casserole.

La sauce devra être liée au moment où la viande a fini de cuire. Si elle n'est pas encore assez épaisse, retirez le veau de la casserole, augmentez la chaleur, et réduisez la sauce jusqu'à ce qu'elle ait l'épaisseur voulue. Puis remettez la viande dans la casserole.

Pour réaliser la gremolada, faites un mélange avec le persil, le zeste de citron râpé et l'ail haché fin. Saupoudrez un peu de ce mélange sur chaque morceau de viande, et laissez cuire quelques minutes supplémentaires. Servez avec du risotto alla milanese.

Ossobuco cuit avec du risotto alla milanese (recette page 79) au restaurant Pierino à Viganò.

Ingrédients de l'ossobuco et du risotto alla milanese (recette page 79), au restaurant Pierino de Pier Giuseppe Penati, à Viganò. ▸

1986
1986

On pourrait proposer comme traduction littérale pour le nom du plat qui suit "morue à la casserole", puisque cassoeula veut dire casseruola, c'est-à-dire "casserole". Ce plat est typique de la région de Lodigano. Quasi chaque région de l'Italie possède son propre plat de morue salée. Celui-ci se distingue par sa saveur douce. Si vous en avez la possibilité, utilisez de la morue que votre marchand de poisson a déjà fait tremper et qu'il a lavée (de nombreuses épiceries fines du nord de l'Italie mettent chaque jour à tremper de la morue salée en hiver, ce qui permet d'en disposer facilement pour la cuisson). Servez comme plat principal, avec de la polenta frite ou grillée.

Le résultat final du merluzzo in cassoeula à l'Albergo del Sole (recette à gauche).

Merluzzo in Cassoeula Morue en ragoût

À la façon de Franco Colombani de l'Albergo del Sole, Maleo

Pour 6 personnes

675 g de morue salée, rincée et mise à tremper toute une nuit dans de l'eau
70 g de farine
50 ml plus 30 ml d'huile d'olive
1/2 l de lait
3 petits oignons épluchés et hachés
30 g de beurre
5 tomates pelées en boîte hachées gros, avec leur jus
Du poivre fraîchement moulu, à volonté

Lavez et séchez les morceaux de morue. Saupoudrez-les de farine sur les deux faces. Faites sauter les morceaux dans 50 ml d'huile d'olive à feu moyen, en les retournant quand la première face a pris une coloration dorée. Quand les deux faces en sont à ce stade, retirez les morceaux de morue et égouttez-les sur des serviettes de papier. Après avoir laissé refroidir un peu, brisez le poisson en gros morceaux, et mettez ceux-ci à tremper dans le lait.

Faites sauter l'oignon dans 30 ml d'huile d'olive et le beurre, jusqu'à ce qu'il soit ramolli, puis ajoutez les tomates ainsi que leur jus. Quand les oignons sont cuits à fond, ajoutez la morue et tout le lait, et prolongez la cuisson durant environ 10 minutes. Assaisonnez de poivre fraîchement moulu.

Pendant que le poisson est occupé à cuire, faites griller ou frire des tranches de polenta. Lorsque le poisson est cuit, assaisonnez-le avec davantage de poivre, selon votre goût, et servez.

Un berger avec son troupeau sur une route proche de Domodossola.

◂ *Les ingrédients et la préparation du merluzzo in cassoeula à l'Albergo del Sole.*

Deux gâteaux lombards typiques : en haut torta sbrisolona et en bas torta di tagliatelle, au Dal Pescatore, à Canneto sull'Oglio.

Les pâtes deviennent un dessert dans la torta di tagliatelle. Ce gâteau a probablement été créé dans les fermes pour recycler les restes de pâtes en les servant aux enfants. Il nous fait nous souvenir du gâteau napolitain de Pâques, la pastiera (recette page 193), dont le nom vient des termes pasta di ieri, c'est-à-dire "pâtes de la veille".
Ce gâteau devra toujours être fabriqué à partir de tagliatelles faites maison, puisque la recette fait appel à une pâte spéciale. La torta di tagliatelle est une spécialité de la région de la Bassa Mantovana.

Torta di Tagliatelle Gâteau aux tagliatelles

À la façon d'Antonio Santini du Dal Pescatore, Canneto sull'Oglio

Pour 6 personnes

Les tagliatelles :
400 g de farine tous usages
4 jaunes d'œufs
80 ml de vermouth
100 ml d'une liqueur, comme de l'Amaretto di Saronno, du Sassolino ou de la Strega

Le gâteau :
210 g d'amandes entières
10 biscuits amaretti
350 g de sucre en poudre
2 cuillerées à café de vanille
1 1/3 tasse de cacao sucré
60 g de beurre, coupé en morceaux

Préchauffez le four à 175° C.
Préparez les tagliatelles en vous conformant aux indications de la page 247, et en utilisant les ingrédients énumérés ci-dessus. Pétrissez jusqu'à obtenir une pâte ferme mais à la fois encore molle. Quand la pâte est prête, roulez-la et coupez-la en bandes de 0,5 cm.

Pour le gâteau, blanchissez les amandes dans de l'eau bouillante ; épluchez-les et coupez-les finement ou râpez-les. Écrasez les biscuits jusqu'à les réduire en poudre.

Mélangez le sucre et la vanille dans un bol, puis ajoutez le cacao, les amandes et les biscuits écrasés. Mélangez fort convenablement le tout. Beurrez et saupoudrez de farine un moule à pâtisserie démontable de 25 cm.

Placez une couche de tagliatelles dans le moule, puis saupoudrez le dessus d'1 ou 2 cuillerées du mélange de macarons/amandes, répétez l'opération avec une autre couche de pâtes, et ainsi de suite, jusqu'à ce qu'il y ait 3 ou 4 couches en tout. Répandez des morceaux de beurre sur le dessus, et cuisez durant environ 30 minutes. Servez chaud ou refroidi.

Le nom de ce gâteau-ci est un mot dialectal, venant du verbe italien sbriciolare, qui signifie "émietter". Il s'agit d'un gâteau sec, difficile à découper en tranches et qui se casse facilement en morceaux.

Torta Sbrisolona Gâteau qui s'émiette

À la façon d'Antonio Santini du Dal Pescatore, Canneto sull'Oglio

Pour 6 personnes

250 g d'amandes entières
225 g de farine
120 g de maïzena
225 g de sucre en poudre
1 cuillerée à café de zeste de citron
2 jaunes d'œufs
2 cuillerées à café de vanille
225 g de beurre ramolli
6 cuillerées à soupe de saindoux
Du sucre glace

Préchauffez le four à 175° C.
Blanchissez les amandes dans de l'eau bouillante, puis épluchez-les et coupez-les finement ou râpez-les.

Combinez les amandes, les farines, le sucre et le zeste de citron râpé dans un bol à mélange. Ajoutez les jaunes d'œufs et la vanille. Mélangez le beurre avec le saindoux et ajoutez-les aux ingrédients secs. Mélangez jusqu'à ce que le tout soit émietté; la pâte sera tout à fait sèche. Mettez-la dans un moule à pâtisserie démontable de 22 cm que vous aurez beurré et cuisez durant 1 heure. Retirez du four, refroidissez, saupoudrez de sucre glace, et servez.

Lodi semble avoir été le lieu de naissance du mascarpone, un délicieux fromage à la crème, possédant la consistance du beurre mou. On peut le manger nature, avec des fruits ou du sucre, ou parfumé au cacao ou au café. Il est souvent fouetté avec des liqueurs pour une utilisation dans des desserts.
La maïzena utilisée dans cette recette se trouve dans la plupart des magasins diététiques.

Sabbiosa con Crema di Mascarpone

Gâteau garni de mascarpone

À la façon de Franco Colombani de l'Albergo del Sole, Maleo

Pour 6 personnes

Le gâteau :

450 g de sucre
400 g de beurre fondu
370 g de maïzena
4 œufs
1 1/2 cuillerée à café de levure chimique
100 ml de Cognac

La garniture :

5 œufs, dont on aura séparé les blancs des jaunes
70 g de sucre
450 g de mascarpone
50 ml de rhum ou de cognac

Préchauffez le four à 175° C.
Pour préparer le gâteau, combinez le sucre et le beurre fondu dans un bol, puis incorporez la farine. Ajoutez 1 œuf à la fois, en battant chaque fois jusqu'à obtenir un mélange bien lisse. Dissolvez la levure chimique dans le cognac et incorporez-la dans le mélange.

Beurrez un moule à pâtisserie démontable de 22 cm de diamètre et saupoudrez-le de chapelure, en éliminant tout surplus. Versez-y le mélange du gâteau et cuisez pendant 55 minutes. N'ouvrez surtout pas le four durant le temps de la cuisson. Quand celle-ci est terminée, retirez le gâteau du four, placez-le sur une claie, tout en le gardant dans le moule, et laissez-le se refroidir à la température de la pièce.

Pendant que ce refroidissement s'opère, préparez la garniture. Battez les 5 jaunes d'œufs et le sucre pour en faire une crème onctueuse ; puis mélangez-y le mascarpone. Fouettez les 5 blancs d'œufs en neige bien épaisse et incorporez-les à la garniture, avec aussi le rhum ou le cognac. Mélangez soigneusement et mettez au réfrigérateur jusqu'au moment de servir.

Quand le gâteau est parfaitement refroidi, retirez-le de son moule, coupez-le en tranches individuelles, et servez avec une bonne portion de la garniture refroidie sur chaque tranche.

Quelques ingrédients et le résultat final du sabbiosa con crema di mascarpone à l'Albergo del Sole à Maleo.

Raisins spumanti utilisés pour la fabrication de l'aceto balsamico, un vinaigre fort prisé.

Pere al Forno Poires cuites

À la façon du chef Fulvio De Santa du restaurant Peck, Milan

Pour 6 personnes

6 grosses poires bien fermes, soigneusement lavées
225 ml de Marsala sec
225 g de sucre
150 ml d'eau
1 bâton de cannelle

Préchauffez le four à 160° C.

Posez les poires non épluchées dans un grand plat à four. Versez le vin sur les poires, saupoudrez-les du sucre, puis versez l'eau dans le plat et mettez-y le bâton de cannelle. Cuisez durant 1 1/2 à 2 heures, jusqu'à ce que les poires soient tendres, en arrosant toutes les 20 minutes.

Servez chaud ou froid, avec la sauce répandue par-dessus.

Voici le grenier où Franco Colombani fait vieillir son aceto balsamico, le vinaigre balsamique. Pour fabriquer ce vinaigre, on met du vin dans de grands tonneaux avec un ferment, puis on le stocke dans des greniers où l'eau s'évapore lentement, avec pour effet que l'aceto se condense en une substance de plus en plus épaisse, presque semblable à une huile. Quand l'aceto prend de l'âge, on le transfère dans des tonneaux de plus en plus petits. L'ensemble du processus peut réclamer plus de vingt ans, et le résultat est une essence d'un arôme et d'une saveur extraordinaires, qu'on utilise au compte-gouttes pour assaisonner les salades.

Les ingrédients et le résultat des pere al forno, un dessert à la fois simple et délicieux, préparé par Franco Colombani à l'Albergo del Sole à Maleo. ▸

IV. *Toscane*

IL FAUT ÊTRE PAYSAN, OU AU MOINS RÉPUBLICAIN, pour aimer Florence. Les représentants de sa "noblesse" la plus influente, les Médicis, étaient à l'origine des pharmaciens ; Michel-Ange, le plus fameux de ses artistes, était une brute au franc-parler, qui dormait chaussé de ses bottes (en attendant qu'on les lui coupe) et il n'aimait rien autant qu'une bonne bagarre ; un livre symbolise la cuisine de Florence, *Con poco o nulla* (Avec peu ou même rien) : il s'ouvre par dix suggestions d'utilisation du pain rassis.

Le dégoût de Florence pour la haute cuisine, comme son aversion à admettre une hiérarchie bien établie, puise ses racines dans son passé de cité-État autonome. Elle n'avait pas de cour en tant que telle, mais, à la place, une forte tradition d'assemblée publique, et un peuple moins intéressé par les princes que par le jeu de balle.

En accord avec les sentiments égalitaires de Florence, il n'y a pas de système de classe dans les trattorias qui nourrissent la ville. Pénétrez-y : vous avez autant de chances de vous retrouver assis, épaule contre épaule, à une table commune en bois, auprès de la riche famille Frescobaldi qu'aux côtés d'un vendeur de tripes. Un de mes voisins, le genre d'homme dont Dante écrivit "il est descendu, il y a bien longtemps, de Fiesole, et pourtant il sent encore toujours la montagne et la roche dure", j'eus moi un jour cette sorte de voisin, qui entama une conversation :

"Ainsi, vous êtes écossaise.

— À moitié.

— Un bon pays, l'Écosse. Mauvaise nourriture, bon whisky. Edimbourg – che bella città ! – belle et rude, exactement comme Florence. Et les Écossais, ils sont comme nous, indépendants, francs, directs. Tout le contraire de ces morveux de Siennois, sournois comme il n'est pas possible."

La rivalité entre Sienne et Florence remonte aux guerres entre les Guelfes et les Gibelins au Moyen Âge. Florence était du côté des Guelfes ; elle pratiquait le commerce et soutenait le pape. Sienne était du côté des Gibelins ; son système était féodal et elle soutenait l'empereur. Les imposants et massifs palais renaissants de Florence sont construits en pierre grise extraite des carrières de Maiano ; ils manifestent un dégoût presque presbytérien pour tout ornement. Florence est, par-dessus tout virile et austère, sans joliesse, une ville de célibataire. Les tours gothiques de sa rivale sont brunies, c'est la rougeoyante "Sienne brûlée", éclairée par les feux mourants de l'âge de la chevalerie, comme l'est sa course de chevaux, le Palio, dangereuse entre toutes ; Sienne est une cité d'aristocrates.

Tandis que les peintres de Florence découvraient le volume et, avec Masaccio, donnaient à Adam les muscles d'un travailleur toscan, ses cuisiniers remplissaient les estomacs de bistecche alla fiorentina – des steaks de la taille de dessus de table. Les Siennois ignorèrent la Renaissance, ils s'en tinrent à la vieille stylisation byzantine. Et ils préféraient les anciens gâteaux, panforte, cantucci, ricciarelli, faits d'épices et d'amandes broyées venues de l'Orient.

Tout chapitre sur la Toscane doit débuter par Florence. À l'exception de Lucca (qui conserva son indépendance jusqu'à l'époque napoléonienne), toutes les cités-États toscanes – Pise, Sienne, Arezzo – tombèrent l'une après l'autre sous le joug de Florence. Pendant six cents ans, la cité a fait la politique de la région, son art, sa culture et sa cuisine.

Arista di maiale arrosto con fagioli all'olio, rôti de porc et haricots, à la Cave di Maiano près de Fiesole (recette page 106, avec une recette similaire de haricots pour accompagner le porc). ▸

◂ PAGES PRÉCÉDENTES
Coucher de soleil sur le Ponte Vecchio à Florence, vu depuis le piazzale Michelangiolo qui surplombe la ville.

Les ingrédients et le résultat final de la panzanella, une salade de tomates et de pain servie comme antipasto (hors-d'œuvre) à la Locanda dell'Amorosa, près de Sinalunga (recette page 102).

La Toscane a la saveur de la frugalité florentine, un trait qui a survécu aux extravagances de la famille Médicis. Au XVe siècle, une loi interdisait les dîners fastueux, de plus de trois services, une loi que les Médicis parvinrent ingénieusement à contourner en mettant les viandes et les desserts dans le même plat. Leurs chefs créèrent d'énormes tourte remplies de poulet frit, de raviolis, de jambon, de saucisses, le tout fourré de couches de dattes et d'amandes. Plus tard, pour un banquet de 85 plats en l'honneur du mariage d'Henri IV et de Marie de Médicis, le sculpteur Giambologna se vit chargé de façonner des statues en sucre, d'une extrême précision. Un tel déploiement public de richesses semble contredire la réputation de Florence, mais même les Médicis avaient des goûts privés simples, comme le montre une lettre de Piero, fils de Laurent de Médicis, à son père : “S'il te plaît, envoie-moi quelques figues, car je les aime. Envoie-moi aussi quelques pêches à noyau et d'autres petites choses que j'aime, comme tu le sais ....”

Une préférence qui va à de bons ingrédients plutôt qu'à des recettes élaborées, voilà qui est typique de la Toscane, où la sauce favorite est un filet d'huile d'olive verte extra-vierge bien vive. Les olives ne devront pas avoir atteint leur maturité, si l'on veut obtenir le maximum de piquant, et il faudra les cueillir à la main, pour éviter de les taler, source d'oxydation et d'acidité.

L'huile d'olive est la base de la pyramide culinaire toscane, car elle sert à frire le soffritto, le mélange d'aromates finement hachés qui est le prélude de tous les plats savoureux. Les soupes toscanes reçoivent une "bénédiction" d'huile en dernière minute, et l'huile arrose les rôtis toscans et les saucisses au fenouil (finocchione) ; on la fait mijoter avec des haricots secs pour les ramollir, puis on l'ajoute, froide, en guise d'assaisonnement (recette page 106).

Les Toscans prétendent que leur huile est la meilleure d'Italie, et, de fait, son goût fruité audacieux est certainement l'accompagnement rêvé des haricots piattellini. La qualité et le parfum varient toutefois selon l'endroit où croissent les oliviers. Les huiles de Lucca sont délicates et dorées, idéales pour le poisson, comme le sont les huiles de la côte méridionale, dont le goût laisse percevoir une pointe de poivre. Les huiles originaires des collines escarpées du Chianti et du Valdarno sont foncées et ont plus de corps, plus d'intensité.

L'huile la plus fine, di prima spremitura extra vergine (de l'huile extra-vierge, pressée dans les quelques jours qui suivent la cueillette), n'affiche qu'1/2 à 1% d'acidité, un niveau qui monte à quelque 4% quand la qualité décroît. L'authentique huile toscane devra porter sur l'étiquette du flacon *prodotto e imbottigliato* (produit et embouteillé). Cette inscription garantit que les olives n'ont pas été importées d'une autre région, une tromperie courante après l'amer hiver de 1984-85, qui décima des milliers d'oliviers toscans – tout en ne réussissant pas, mystérieusement, à réduire la quantité de la coûteuse huile d'olive "toscane". Un olivier peut se régénérer lui-même à partir d'une souche souterraine, mais il faut bien cinq ans avant qu'il ne produise suffisamment de fruits pour donner de l'huile.

Les senteurs de la Toscane dans la cuisine de Lorenza de' Medici à Badia a Coltibuono : huile d'olive parfumée aux piments rouges, sauge en fleur, romarin et fenouil séché.

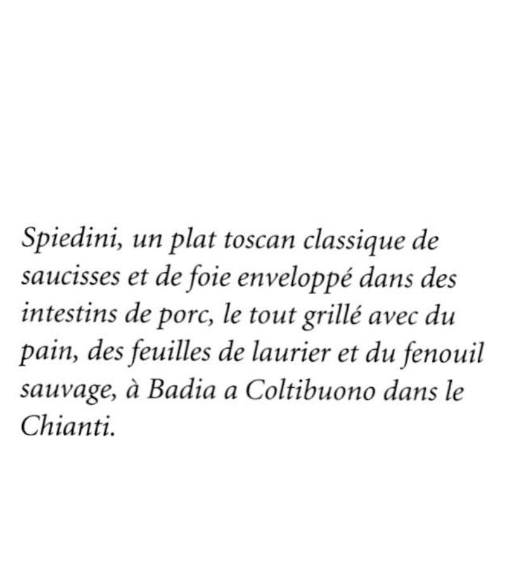

Spiedini, un plat toscan classique de saucisses et de foie enveloppé dans des intestins de porc, le tout grillé avec du pain, des feuilles de laurier et du fenouil sauvage, à Badia a Coltibuono dans le Chianti.

1

2

3

4

5

6

7

8

Après l'huile d'olive, les herbes constituent les ingrédients les plus importants de la cuisine toscane. Nulle part ailleurs en Italie on ne les utilise autant. Et le romarin, couplé à la fumée que dégage le feu d'une branche de châtaignier, est le parfum le plus évocateur des cuisines toscanes. Trempée dans de l'huile d'olive, l'herbe est utilisée pour arroser le rôti de porc ou l'agneau (recettes de viandes rôties au romarin, pages 104 et 106), et ses branches les plus dures servent à embrocher des saucisses et du foie enveloppé de crépine, qui composent des spiedini (brochettes) que l'on grille sur des braises de bois. Le pan di ramerino, un roulé cité par le Marchand de Prato au XIVe siècle, n'est rien de plus qu'une pâte enrichie d'un supplément de sucre et fortement parfumée aux feuilles de romarin.

Dans la région du Chianti, j'ai reçu une leçon sur l'assaisonnements qui était presque une morale, mon professeur étant un herboriste doublé d'un fabricant de vinaigre nommé Dado, un paysan d'adoption.

"Ma mère, qui était une vraie citadine, me racontait que, toute sa vie, elle avait regardé l'herbe sans rien voir de plus que de l'herbe. Et puis, un beau jour, pendant la guerre, lorsque nous fûmes expédiés à la campagne, elle se rendit compte que sur un mètre carré d'herbe, il y avait cinquante autres plantes qui se battaient pour exister. Il me semble que cette anecdote en dit autant sur la vie que sur l'herbe.

— C'est donc le romanesque de cette science qui vous attire.

— C'est la saveur !", dit-il.

Il connaît la différence entre des fines herbes à cuire, qu'il faut servir avec de l'huile d'olive et du citron, telles la mauve, les poireaux sauvages, la sauge écarlate et le radicchio ; et celles, moins amères, destinées à la salade, au nombre desquelles figurent les belles feuilles en dents de scie de la pimprenelle.

"Un vieux dicton du coin affirme, me dit-il, que *l'insalata non è bella se non c'è la salvastrella* – ce qui signifie qu'une salade n'est pas belle si elle ne renferme pas de la pimprenelle."

"Les paysans toscans, poursuivit-il, qui ont connu par le passé la façon de préparer quelque deux mille herbes sauvages et mauvaises herbes différentes, ont perdu l'essentiel de leur savoir. Seuls les citadins sont encore attirés par les coutumes de la campagne. Quand l'homme qui m'aide à cultiver mes vignes, me voit cueillir de la chicorée sauvage pour la faire bouillir et la manger avec de l'huile et du pecorino, il me dit : 'Oh ! oui, je me souviens que ma grand-mère faisait cela.' Mais il a rompu avec son passé comme un wagon qui se serait détaché de la locomotive."

Ce qui a accéléré le processus, c'est la fin de l'ancien système toscan de partage des récoltes, la mezzadria, où un groupe de fermiers partageait les profits avec un riche propriétaire et vivait autour de sa villa. Bien que leur part ait atteint la moitié des bénéfices à la fin de la mezzadria dans les années 1960, les fermiers ont poursuivi un mouvement d'abandon de la terre commencé beaucoup plus tôt, dès qu'ils eurent découvert qu'on pouvait gagner plus d'argent, et plus facilement, en ville.

"La ville était pour eux comme un mirage", dit Dado.

Les propriétaires terriens qui ne pouvaient égaler les salaires de la ville, furent contraints d'étendre les étendues cultivées pour pouvoir utiliser des machines, ou durent vendre leur propriété. Heureusement, les nouveaux propriétaires furent nombreux à s'intéresser à la préservation du paysage de vignobles et d'oliviers : revers de la médaille, certaines des plus belles zones de la Toscane affichent maintenant des annuaires téléphoniques avec davantage de noms étrangers que de noms italiens.

Pourtant, tous les changements des temps modernes ne conduisent pas au pire, loin de là. Ainsi, le tourisme a apporté une prospérité accrue à des familles pauvres dans les Apennins du nord-ouest de la Toscane. La nourriture

1. *Vue de l'intérieur de la ville fortifiée de San Gimignano.*
2. *Dans les chais de l'Enoteca Pinchiorri, vinothèque et restaurant réputé de Florence.*
3. *Un jardin à Badia a Coltibuono dans le Chianti.*
4. *Un pigeon buvant à une fontaine sur la piazza del Campo à Sienne.*
5. *Miranda Minucci dans son épicerie, La Villa Miranda, à côté de son restaurant près de Radda dans le Chianti.*
6. *Vue de Monteriggioni, un village fortifié du XIIIe siècle.*
7. *Ancienne batterie de cuisine en cuivre dans une cuisine à Badia a Coltibuono.*
8. *Un étal avec des sandwichs chauds aux tripes dans les rues de Florence.*

de ces gens se composait habituellement d'herbes, de châtaignes et de tout ce qu'ils parvenaient à tuer comme gibier. La farine humide et douce de la châtaigne, broyée dans des moulins à eau, a toujours été utilisée par les pauvres pour confectionner des pains et de rustiques desserts toscans. Elle est à présent à la mode, ce qui n'est pas une mauvaise chose pour ceux qui la produisent. La Maremme (ce qui veut dire la plaine côtière), dans le sud-ouest de la Toscane, un marécage ravagé par la malaria jusqu'à il y a moins d'un siècle, a été nettoyée et transformée en prairies fertiles qui nourrissent des troupeaux d'un bétail capable de rivaliser avec le blanc Chianina du Chianti (le meilleur bœuf d'Italie, essentiel pour le classique bistecca alla fiorentina). Ici l'on trouve encore des échos culinaires de ces "Étrusques au long nez et au sourire raffiné" tant admirés par D.H. Lawrence, et une cuisine médiévale dont les sauces aigres-douces quasi-inexistantes ailleurs en Italie (parmi lesquelles l'agrodolce, faite de sucre, de vinaigre, de pignons et de fruits candi) accompagnent généralement le sanglier sauvage, courant dans la région. Moutons et bovins, qui broutent les plaines ondulées de la Maremme, produisent le lait pour le pecorino.

Vue d'une exploitation agricole près de San Quirico. Ce genre de décor champêtre encore intact est de plus en plus difficile à trouver en Toscane, comme dans le reste de l'Italie d'ailleurs.

En avril et en mai, vous verrez manger du marzolino jeune et frais, le pecorino du "petit printemps", avec des fèves crues (bacelli) et une sauce rudimentaire faite d'huile d'olive et de sel ; le fromage de l'été, mûri à présent et frotté avec de la tomate ou des cendres pendant sa maturation, se mange avec des poires sucrées bien fermes. Ces plats, deux des mets les plus purs et les plus toscans, se dégustent dans toutes les bonnes trattorias de style rustique – bien qu'ils ne figurent jamais à leurs menus.

Tels des icebergs, les menus toscans cachent plus de choses qu'ils n'en révèlent. Je me revois arrivant tard dans une petite auberge de Lucca et m'entendant dire qu'il n'y a plus rien à manger.

"Pas même un peu de pain ?" "Du pain, si." "Et peut-être un peu de salame ?" "Bon, si la signorina n'a rien contre la saucisse de sanglier sauvage." "Pas de fromage ?" "Si la signorina pouvait supporter du vieux pecorino et quelques bacelli ... et il reste peut-être bien une dernière tranche de la torta di verdure" (une tarte locale sucrée faite de bette et de fruits candis). Aucun de ces mets n'apparaissait dans le menu. "Mais si la signorina nous avait dit immédiatement qu'elle pouvait se contenter d'un casse-croûte ! Nous pensions qu'elle voulait être vraiment nourrie!"

Le pain, le classique, le pan sciocco sans sel, est la pâte de la Toscane. À l'exception des pappardelle, tagliatelles larges de près de 2 cm, et de ces serpents qu'ont l'air d'être les pici, sans œufs, fabriqués autour de Sienne, les pâtes n'ont ici qu'une importance négligeable. Le pain rassis, par contre, est le fondement de recettes allant de l'acquacotta (eau cuite) – du pain trempé dans une eau qui a bouilli avec de l'ail et des fines herbes, parfois garni d'un œuf poché – à la panzanella, une salade de pain mouillé de tomates, d'oignons, de basilic, et d'huile d'olive (recette page 102). Et la pâte à pain qui n'a levé qu'une fois, saupoudrée de sucre glace ou enrichie d'ingrédients comme du miel ou des fruits confits, est fréquemment le point de départ de desserts toscans. Étendue bien à plat au rouleau et parsemée de raisins à l'époque des vendanges, elle devient la tarte favorite de la Chiantigiana, la schiacciata con l'uva (recette page 109).

Il existe des plats plus compliqués : les cuisiniers de la Renaissance ont appris de chefs français des recettes de béchamel et de mayonnaise (et ils ont enseigné à ceux-ci des recettes de pâtisserie et de crème glacée); les restaurants de Florence pratiquent plus la nouvelle cuisine que jadis. Cependant, les authentiques recettes toscanes sont marquées du sceau de la sincérité. Du gibier parfaitement rôti à la broche, des haricots crémeux mijotés dans un flacon de Chianti : ces plats peuvent paraître simples jusqu'au point de non-existence, mais c'est précisément leur extrême simplicité qui les rend difficiles à reproduire.

Cela me rappelle Giotto, qui, invité par son pape à lui soumettre des échantillons de son travail, dessina simplement à main levée un cercle parfait à la craie rouge et l'envoya. Un geste typiquement florentin – l'assurance d'un homme qui connaît la valeur de son œuvre.

Quand on voit la Toscane pour la première fois – ces oliveraies, ces cyprès, ces collines striées de vignobles noyés dans une lumière du Quattrocento – on la reconnaît telle qu'elle apparaît dans un millier de peintures. La vigne a toujours fait partie de ce paysage. Les vignobles existaient sur ces collines depuis l'époque étrusque et, au XIIIe siècle, les barons féodaux de la région du Chianti avaient probablement formé la première coopérative vinicole au monde. Plus récemment, les barons et leurs concurrents ont été au centre d'une révolution du vin.

La Toscane était dominée dans le passé par un raisin rouge, le sangiovese, affectueusement connu sous le nom de "Giovetto", et par ses trois enfants les plus célèbres : le Chianti (le district DOC le plus grand d'Italie, aussi bien en étendue du territoire qu'en volume de vin) ; le Brunello di Montalcino (à son meilleur niveau, un vin riche et "charnu" d'une extraordinaire longévité ; un des vins les plus chers du monde) ; et le Vino Nobile di Montepulciano (une version du Chianti qui a vieilli plus longtemps, mais dont la réputation de roi des vins est souvent injustifiée).

Les vins modernes contestent cette domination. Leurs producteurs se sont révoltés contre les réglementations DOC restrictives (DOC est l'équivalent de l'appellation contrôlée en France). Ces producteurs plantent des raisins français là où poussaient jadis des variétés italiennes, mélangeant du sangiovese avec du merlot ou du cabernet sauvignon, et faisant vieillir le produit dans de petits tonneaux de chêne français, généralement neufs, plutôt que dans les énormes vieux tonneaux d'autrefois. En brisant les règles, ils perdent le droit à la DOC et doivent se contenter du statut de vino da tavola, autrefois le signe d'un vin tout à fait ordinaire. L'ironie est que ces vins vino da tavola sont souvent plus coûteux et suscitent plus de passions que leurs voisins DOC.

Il serait impossible de donner une liste de tous les excellents nouveaux venus. Un tuyau ? Recherchez des producteurs qui ont déjà acquis une bonne renommée dans les vins toscans de style ancien (le Castello di Volpaia, par exemple, produit un des meilleurs Chianti mais aussi quelques-uns des mélanges modernes les plus novateurs – et il en va de même pour Antinori, Frescobaldi, Villa Banfi et Barbi Colombini), et rappelez-vous que ces vins traditionnels font constamment l'objet d'améliorations de leurs mélanges et de leurs techniques de vinification.

Il y a certes des inconvénients. Alors que les petits barils français donnent un rapide rendement en saveur de chêne, ils exagèrent aussi le potentiel d'un vin, ce qui s'avère désastreux parfois quand l'espoir ne se confirme pas. Le raisin blanc de Trebbiano, de qualité inférieure, ne représente pas une grande perte. Cependant, un trop grand enthousiasme pour les raisins et les techniques français pourrait aboutir à une perte tragique de la saveur toscane.

Leslie Forbes

Torta di lamponi, tarte à la framboise, et torta di fichi, tarte à la figue, servies à la Cave di Maiano, près de Fiesole. ▸

Voici un de ces nombreux plats traditionnels fondés sur le pain, qui étaient jadis une des nourritures de base de la table paysanne, et qu'il est difficile de trouver encore dans les restaurants. La pappa al pomodoro est réputée délicieuse même quelques jours après sa préparation.

Quelques-uns des ingrédients et le résultat final de la pappa al pomodoro à Badia a Coltibuono.

Pappa al Pomodoro Soupe de tomate et de pain

À la façon de Lorenza de' Medici à Badia a Coltibuono, près de Gaiole

Pour 4 personnes

70 ml d'huile d'olive, plus un supplément pour la garniture
3 gousses d'ail épluchées et hachées
675 g de tomates fraîches épépinées et coupées finement
1 cuillerée à soupe de feuilles de basilic frais rincées et hachées finement
1 l de bouillon de viande
Sel et poivre
20 tranches (340 g) de pain de froment complet fort rassis, débitées en dés d'à peu près 1 cm
Du parmesan fraîchement râpé à volonté

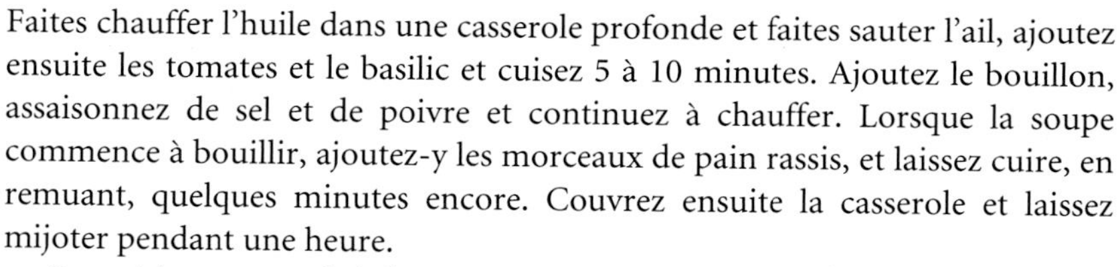

Faites chauffer l'huile dans une casserole profonde et faites sauter l'ail, ajoutez ensuite les tomates et le basilic et cuisez 5 à 10 minutes. Ajoutez le bouillon, assaisonnez de sel et de poivre et continuez à chauffer. Lorsque la soupe commence à bouillir, ajoutez-y les morceaux de pain rassis, et laissez cuire, en remuant, quelques minutes encore. Couvrez ensuite la casserole et laissez mijoter pendant une heure.

Quand la soupe a fini de cuire, versez-y un peu d'huile d'olive fraîche et servez-la brûlante, simplement chaude, ou alors froide avec du parmesan.

◄ *Les ingrédients nécessaires à la réalisation des tagliatelle alla maggiorana à la Locanda dell'Amorosa, près de Sinalunga.*

Tagliatelle alla Maggiorana Tagliatelles aromatisées à la marjolaine

À la façon de Carlo Citterio de la Locanda dell'Amorosa, près de Sinalunga

Pour 6 personnes

La pâte :

280 g de farine
3 œufs
5 g de marjolaine fraîche hachée ou une pincée de marjolaine sèche
1 pincée de sel

La sauce :

4 cuillerées à soupe de noix écrasées
2 cuillerées à soupe de pignons écrasés
70 g de beurre
25 g de parmesan fraîchement râpé

Confectionnez les pâtes à l'aide des ingrédients indiqués ici, en vous référant aux instructions qui figurent à la page 247, et en ajoutant la marjolaine hachée à la farine en même temps que les œufs (la marjolaine fraîche a son importance dans cette recette et elle est donc fortement recommandée). Après découpe, étalez les tagliatelles sur un linge saupoudré de farine, pour éviter qu'elles n'adhèrent les unes aux autres.

Pour réaliser la sauce, faites griller les noix écrasées dans un plat à four, thermostat 120° C, en les surveillant, pour éviter qu'elles ne brûlent. Faites fondre le beurre dans une grande poêle et ajoutez-y les noix grillées. Cuisez la pasta dans une grande quantité d'eau bouillante salée, durant une ou deux minutes, égouttez-la soigneusement, mettez-la dans la sauce au beurre et aux noix et remuez convenablement l'ensemble. Saupoudrez de parmesan et servez immédiatement.

Tagliatelle alla maggiorana, venant d'être coupées et séchant à la Locanda dell'Amorosa.

Panzanella Salade de pain campagnarde

À la façon de Carlo Citterio de la Locanda dell'Amorosa, près de Sinalunga

Pour 6 personnes

600 g de pain rassis, italien ou baguette française
900 g de tomates fraîches épépinées et coupées finement
1 concombre épluché sommairement et coupé fin
1 piment du Chili, égrené et coupé en fines lamelles
2 branches de céleri coupées finement
1 oignon rouge moyen, épluché et coupé en fines rondelles
2 cuillerées à soupe de feuilles de basilic frais rincées et hachées finement
4 filets d'anchois conservés dans de l'huile, émincés (facultatif)
2 œufs durs émincés (facultatif)
1 gousse d'ail épluchée et hachée finement (facultatif)
100 ml d'huile d'olive extra-vierge, ainsi qu'un supplément pour la garniture
Sel et poivre
Vinaigre de vin rouge à volonté

Laissez tremper le pain dans de l'eau froide pendant 20 minutes.
Extrayez l'eau à fond avec les mains et émiettez le pain dans un saladier. Ajoutez tous les légumes et les ingrédients facultatifs souhaités, et mélangez convenablement le tout.

Dans un bol séparé, battez l'huile d'olive avec le sel et le poivre. Assaisonnez-en la salade, en la mélangeant soigneusement. Mettez au frais une heure au minimum ; avant de servir, fatiguez à nouveau salade, tout en ajoutant le vinaigre et un peu d'huile fraîche si vous le désirez *(photographie page 92)*.

Coniglio in Casseruola nel Peperone

Poivrons farcis au lapin

À la façon de Carlo Citterio de la Locanda dell'Amorosa, près de Sinalunga

Pour 4 personnes

4 poivrons moyens rouges ou jaunes
225 g de champignons des prés ou de champignons de couche
675 g de viande de lapin désossée, coupée en petits morceaux
30 ml d'huile d'olive
125 ml de vin blanc sec
125 ml de bouillon de poule
100 g de tomates pelées en boîte avec leur jus, coupées en petits morceaux
1 cuillerée à soupe de concentré de tomate
Sel et poivre

Préchauffez le four à 200° C.
Lavez les poivrons et coupez-leur le chapeau, qui servira de couvercle. Retirez-en les graines et les nervures, mais laissez les poivrons entiers. Cuisez-les durant environ 15 minutes, jusqu'à ce qu'ils soient tendres mais pas trop mous.

Lavez, séchez et coupez en tranches les champignons. Faites sauter la viande de lapin dans une poêle à frire avec l'huile d'olive, jusqu'à ce qu'elle soit parfaitement cuite. Égouttez la graisse de la poêle, ajoutez ensuite les champignons et le vin, et laissez mijoter jusqu'à évaporation du vin. Ajoutez le bouillon, les tomates et le concentré de tomates, assaisonnez de sel et de poivre, et cuisez à feu doux durant 10 minutes.

Disposez les poivrons dans un plat à four huilé juste assez grand pour les contenir, afin d'éviter qu'ils ne se renversent. Farcissez-les du mélange de lapin et de champignons. Réduisez la température du four à 180° C. Couvrez les poivrons de leurs chapeaux et remettez-les au four pour 10 ou 15 minutes, ou jusqu'à ce qu'ils soient bien tendres. Servez bien chaud.

1. Amateurs de glaces à Florence.

2. Pains au magasin Il Fornaio de Florence.

3. L'arrivée de produits frais du marché à la Locanda dell'Amorosa, près de Sinalunga.

4. Coniglio in casseruola nel peperone cuit, à la Locanda dell'Amorosa (recette en bas à gauche).

5. Une scène typique de la rue toscane, ici à Florence.

6. Divers gâteaux et biscotti, dont un paquet du célèbre panforte Nannini de Sienne.

7. Un assortiment de glaces à la gelateria Nannini, à Sienne.

8. Petites pizzas à emporter, en vente au magasin Il Fornaio de Florence, avec différentes garnitures de légumes locaux.

9. Torre di Pulcinella, la tour du Polichinelle, dans la vieille cité de Montepulciano.

1

2

3

4

5

6

7

8

9

Le pollo arrosto à la Cave di Maiano à Fiesole.

Pollo Arrosto Poulet rôti

À la façon d'Aldo Landi de la Cave di Maiano, près de Fiesole

Pour 4 personnes

Un poulet d'1 kg 350, en morceaux
80 ml d'huile d'olive
30 ml de jus de citron frais
2 cuillères à café de romarin frais haché fin ou une pincée de romarin sec
Sel et poivre
1 citron, coupé en morceaux triangulaires

Lavez soigneusement le poulet et essuyez-le avec des serviettes en papier pour le sécher complètement. Dans un grand bol peu profond, mettez les morceaux de poulet à mariner avec 65 ml d'huile d'olive, le jus de citron, le romarin, le sel et le poivre, pour une durée d'1 heure. Retournez de temps en temps les morceaux de poulet dans la marinade.

Préchauffez le four à 200° C.

Faites chauffer 15 ml d'huile d'olive dans une grande poêle à frire, à feu vif, et cuisez les morceaux de poulet dans l'huile, jusqu'à ce qu'ils soient dorés sur toutes leurs faces.

Disposez les morceaux de poulet dans un plat et faites-les rôtir durant 10 à 12 minutes. Pour tester si le poulet peut être retiré du four, piquez légèrement dans un morceau à l'aide d'un couteau. Si le jus qui en sort est clair, le poulet est parfaitement rôti.

Retirez le plat du four, assaisonnez à nouveau de sel et de poivre, et servez le poulet garni de morceaux triangulaires de citron.

L'assaisonnement de l'agnello arrosto avant cuisson à la Cave di Maiano.

Agnello Arrosto Agneau rôti

À la façon d'Aldo Landi de la Cave di Maiano, près de Fiesole

Pour 6 personnes

Un gigot d'agneau d'1 kg 350, désossé avant qu'on ne le pèse, préparé par votre boucher
2 gousses d'ail épluchées et hachées finement
2 cuillères à café de romarin frais haché fin ou une pincée de romarin sec
50 ml d'huile d'olive
Sel et poivre
225 ml de vin blanc

Préchauffez le four à 250° C.

Disposez le gigot d'agneau bien à plat et répandez à l'intérieur l'ail et le romarin, la moitié de l'huile, du sel et du poivre. Bridez l'agneau en l'enroulant d'une ficelle.

Réduisez la température du four à 235° C. Placez la viande dans un plat à rôti, avec le restant de l'huile. Tournez le gigot pour l'enduire entièrement d'huile, versez le vin, et faites rôtir environ 15 minutes. Puis réduisez à nouveau la température, jusqu'à 200° C, et faites rôtir durant une heure, en arrosant de temps en temps. Pour obtenir une viande cuite à point, laissez-la 15 minutes de plus au four. Découpez en tranches épaisses et servez avec les jus, après avoir filtré la graisse.

L'agnello arrosto avec l'arista di maiale arrosto (recette page 106), à la Cave di Maiano d'Aldo Landi à Fiesole. ▸

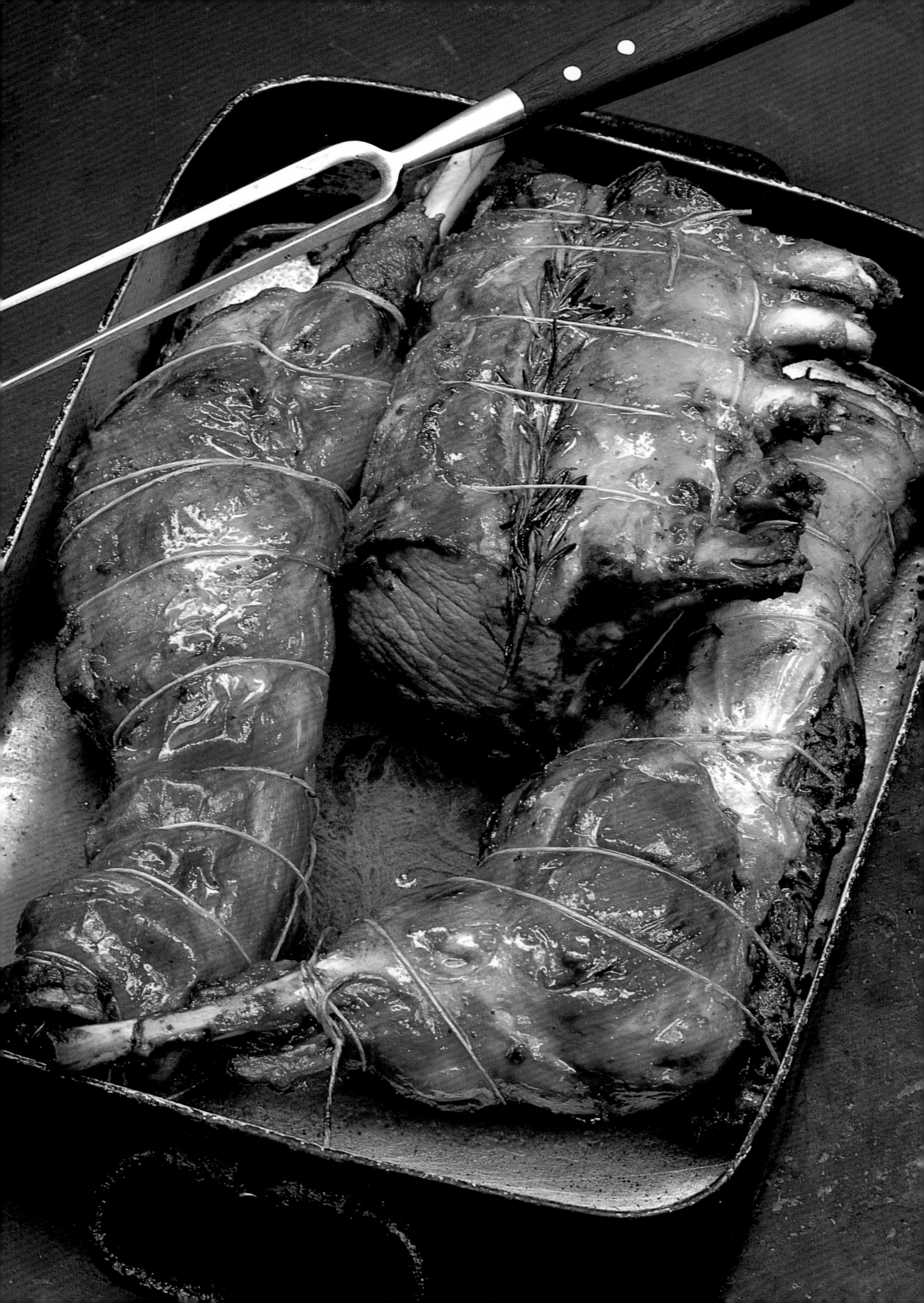

Haricots cannellini trempant avant cuisson, à la Locanda dell'Amorosa.

À Florence, et d'une façon générale en Toscane, le mot arista fait référence à l'échine du porc avec les côtes encore attachées, coupée en un seul morceau. L'origine du nom remonte à un important événement dans l'histoire de la ville. À l'occasion du dix-septième concile œcuménique de Bâle et de Ferrare-Florence (1431-35), qui aboutit à l'Union de Florence, de courte durée, entre les églises catholique romaine et orthodoxe orientale, de somptueux banquets furent offerts. Au cours de l'un de ces festins, on servit un rôti de porc aux évêques grecs. Pour témoigner leur enthousiasme approbateur pour ce plat, ils s'exclamèrent "Aristos, aristos !", ce qui veut dire "Excellent, franchement excellent !"
Les fagioli all'uccelletto (recette ci-dessous) sont généralement servis en accompagnement de ce rôti de porc.

Arista di Maiale Arrosto Rôti d'échine de porc

À la façon d'Aldo Landi de la Cave di Maiano, près de Fiesole

Pour 4 personnes

900 g d'échine de porc avec les côtes, préparée pour la cuisson par votre boucher
3 gousses d'ail épluchées et coupées en rondelles
2 cuillères à café de romarin frais haché fin ou une pincée de romarin sec
Sel et poivre
30 ml d'huile d'olive

Préchauffez le four à 220° C. Parsemez l'échine d'ail et de romarin (frottez du romarin sec si vous en utilisez). Frottez l'échine avec du sel et du poivre, enduisez de la moitié de l'huile d'olive et placez la viande dans un plat à rôti, en versant le restant de l'huile par-dessus la viande dans le plat.
Faites rôtir la viande sans couvrir durant environ 15 minutes, ou jusqu'à ce qu'elle soit joliment dorée partout. Réduisez la température à 190° C et cuisez pendant 45 minutes encore, en retournant la viande et en l'arrosant de temps à autre. Quand la viande est cuite (elle devra être tendre et non desséchée), refroidissez-la brièvement, coupez-la en tranches fines, et servez-la avec son jus.

Le nom de ce plat signifie "haricots pareils à un oiseau", car l'assaisonnement est censé donner aux fagioli un goût proche de celui du petit gibier. Le secret de cette version d'un des plats les plus célèbres de Toscane réside dans la préparation rigoureuse des haricots. On recommande les fagioli en accompagnement de viandes bouillies et rôties, comme les recettes précédentes.

Fagioli all' Uccelletto Haricots en sauce tomate

À la façon d'Aldo Landi de la Cave di Maiano, près de Fiesole

Pour 4 personnes

400 g de haricots cannellini secs
4 gousses d'ail épluchées
2 tiges de céleri moyennes
2 feuilles de sauge fraîche ou une petite pincée de sauge sèche
1 carotte moyenne épluchée
1 oignon moyen épluché
15 ml d'huile d'olive
Du poivre fraîchement moulu à volonté (facultatif) et du sel
450 g de tomates fraîches épépinées et coupées grossièrement

Placez les haricots sur le réchaud, de préférence dans une casserole en terre cuite, avec suffisamment d'eau froide pour que son niveau dépasse celui des haricots de 2,5 cm. Ajoutez 3 gousses d'ail, les tiges de céleri, 1 feuille de sauge (ou une pointe de sauge sèche), la carotte et l'oignon. Placez une autre casserole du même diamètre par-dessus cette casserole, et remplissez-la d'une bonne quantité d'eau. Cuisez les haricots durant environ deux heures et demie à feu réduit, en prenant soin qu'ils mijotent très lentement. Ajoutez l'eau réchauffée dans la casserole du dessus aux haricots qui se trouvent dans celle du dessous, dès qu'ils sont à sec. Les haricots sont cuits quand ils prennent un léger aspect de purée. N'ajoutez le sel que pendant les 15 dernières minutes de cuisson. Quand les haricots ont fini de cuire, égouttez-les et retirez les légumes.

Chauffez l'huile avec la gousse d'ail et la feuille de sauge restantes (ou le reste de la sauge sèche), toutes les deux hachées finement, dans une grande casserole.

Ajoutez les haricots, davantage de sel si nécessaire, et un peu de poivre si vous le désirez. Cuisez les haricots pendant quelque temps, en agitant la casserole ou en remuant régulièrement, pour empêcher que les haricots ne collent au fond.

Ajoutez les tomates et poursuivez la cuisson durant environ 15 minutes. On peut à volonté ajouter du sel, du poivre et de l'huile d'olive juste avant de servir.

Un artiste peintre sur la piazza della Signoria à Florence.

San Gimignano éclairée dans la soirée.

1981
Vin Santo

Il y a plus de deux mille ans qu'on fabrique ce pain au raisin durant les vendanges, depuis l'époque étrusque. La recette est due ici à Lorenza de' Medici, une descendante de la légendaire famille des Médicis, qui dirigea la Toscane durant la Renaissance. Le Vin Santo, le "vin sacré", possède un bouquet aromatique caractéristique. Il est riche et moelleux, plus près d'un sherry que d'un vin. On le fait vieillir en grenier, dans de fort petits tonneaux, qu'on appelle caratelli. Il est employé ici pour faire tremper les raisins secs, mais on peut également le recommander en accompagnement.

Schiacciata con l'Uva Pain au raisin

À la façon de Lorenza de' Medici à Badia a Coltibuono, près de Gaiole

Pour 6 à 8 personnes

30 g de levure fraîche ou 2 paquets de levure sèche active
170 ml de lait chaud
350 g de farine ordinaire
250 g de sucre
Du beurre ou de l'huile pour la préparation du moule à pâtisserie
Une pincée de sel
450 g de raisins noirs épépinés, coupés en moitiés
100 g de noix coupées en petits morceaux
100 g de raisins secs trempés dans du Vin Santo ou un vin de dessert sucré

Faites fondre la levure dans le lait chaud durant 10 minutes. Placez la farine dans un grand bol et formez un puits au centre. Mélangez le lait et la levure, en remuant bien, puis ajoutez 180 g de sucre et le sel, et pétrissez convenablement. Laissez la pâte dans un linge propre, dans un endroit chaud, jusqu'à ce que la pâte ait doublé de taille (environ 2 heures).

Étendez la pâte en deux disques, chacun d'un diamètre d'à peu près 30 cm. Placez un disque dans un moule à pâtisserie beurré ou huilé, suffisamment grand pour le contenir. Couvrez-le avec la moitié des raisins, des noix et des raisins secs égouttés. Couvrez à l'aide du second disque de pâte, et ensuite du reste des raisins, des noix et des raisins secs. Saupoudrez avec les 70 g de sucre restant. Couvrez le pain d'un tissus et laissez-le monter à nouveau, jusqu'à ce qu'il ait doublé de taille.

Préchauffez le four à 180° C. Cuisez le pain durant une heure. Servez chaud ou froid.

Tonneaux de Chianti Classico produit à Badia a Coltibuono par le mari de Lorenza de' Medici, Piero Stucchi-Prinetti.

◂ *Quelques-uns des ingrédients et le résultat final de la schiacciata con l'uva à Badia a Coltibuono.*

Ouvriers agricoles le long de la vallée du Pô dans les années 1950.

Pensionnaire de la porcherie du Caseificio Rastelli à Rubbiano di Solignano, essentiellement une fabrique de fromage. Les heureux cochons sont nourris du babeurre qui reste de la fabrication du parmesan.

Le Culatello, jambon fumé de porc, ficelé frais et coupé séché, à la Terzi Vezio Stagionatura Salumi à Collecchio. Produit industriellement, le culatello est fumé et amené à maturité grâce à une méthode similaire à celle qu'on utilise pour le jambon de Parme ; il est délicieux et… cher.

◂PAGES PRÉCÉDENTES
Un décor caractéristique de l'Émilie-Romagne : de longues rangées rectilignes de peupliers bordent un champ de tournesols, près de Volano.

V. *Émilie-Romagne*

L'ÉMILIE-ROMAGNE EST DOMINÉE par une vaste plaine aux contours bien marqués. Incontestablement monotone quand on le contemple au passage depuis la fenêtre d'une voiture ou d'un train, ce paysage joue à ses habitants une dramatique que régit le rythme des saisons. Elle débute en hiver, quand les températures descendent en dessous de zéro et qu'un épais brouillard enveloppe les plaines couvertes de chaume. Au printemps, les brumes se dispersent et l'on découvre un défilé de champs délimités par de longues rangées rectilignes de peupliers. L'été, les tons voilés sont rehaussés par le rouge des coquelicots et par une véritable marée de tournesols. En automne, la terre est littéralement piquée de moissons : un tracteur émerge d'un hangar en pierre, emprunte une route boueuse et poursuit son chemin jusqu'à un champ de blé. Au sommet d'une côte, quelques formes humaines se penchent avec une totale dévotion sur leurs récoltes : c'est le moment de passer la moisson au crible.

L'arrière-pays reste attaché à l'ancien idéal de servitude à la terre, qui n'est assurément pas comprise comme une punition. Cette vaste étendue, irriguée et nourrie par le Pô et ses affluents des Alpes et des Apennins, est aussi fertile que les autres régions d'Italie centrale, et récompense amplement ceux qui la cultivent. Un cinquième du blé de la nation pousse ici, et la moitié de ses betteraves sucrières, en même temps qu'une profusion de fruits et de légumes : pommes, cerises, fraises, pastèques, artichauts, pommes de terre, asperges, courgettes, ainsi que de nombreuses variétés de cèpes. Les cultures de riz couvrent les étendues marécageuses voisines des rives du Pô, dont le cours tortueux trace la frontière nord de la région.

Une grande partie de cette riche production gagne les conserveries, les moulins et les usines de traitement qui, de loin en loin, forment des groupes massifs le long de la Via Emilia, devenue une autoroute à grande circulation, longue de 240 km. Ce que cette terre n'exporte pas, elle l'investit dans de superbes plats. L'Émilie-Romagne ne se contente pas d'être depuis longtemps leader de la production alimentaire, elle est aussi capitale gastronomique.

Sa cuisine porte toutes les marques de la richesse, du raffinement et d'une subtilité délibérément conservatrice. Les recettes recourent au beurre et au saindoux plutôt qu'à l'huile – les oliveraies, jadis abondantes, ont été éclaircies il y a des siècles pour faire place à des cultures plus lucratives. Un buffet typique comprend surtout des viandes : viande de veau, de porc et saucisse. Les gastronomes avisés peuvent réclamer une chère plus exotique – pintade, faisan, bécasse des bois, et même sanglier sauvage –, les viandes appréciées jadis par la noblesse locale. Aujourd'hui, l'héritage s'est conservé au niveau du peuple dans le bollito misto, un assortiment de viandes bouillies que l'on sert à certaines occasions, notamment quand au moins quinze convives sont attendus à la table (recette page 130).

D'autres viandes, préparées en quantités plus réduites, s'identifient étroitement à une ville spécifique. Le rose et doux prosciutto di Parma (jambon de Parme), le premier hors-d'œuvre d'Italie, arrive en tête. Il donne toute sa saveur quand il est coupé en tranches de la minceur d'une feuille de papier. La fierté de Bologne est la costoletta alla bolognese, une côtelette de veau farcie de fromage et de truffe, et ensuite panée – ou alors surmontée d'une couche de jambon et de fromage. Dans les vitrines des boucheries de Modène, pendent des rangées de zampone, pied de porc débarrassé de tout os et cartilage et ensuite fourré jusqu'aux orteils de hachis de porc assaisonné. D'abord bouilli, le zampone est servi avec tout un choix de condiments, parfumés d'un filet d'une autre spécialité de Modène, l'aceto balsamico (vinaigre balsamique). Le salame da sugo de Ferrare est un mélange de porc, de foie et de langue hachés. Le culatello, fabriqué à partir de cuisses de porc de premier choix, est la spécialité de Busseto, un hameau situé à la frontière de la Lombardie, où Giuseppe Verdi, né à quelques kilomètres de là, à Roncoli, aimait dîner.

Non moins variée est la gamme des pâtes de cette région, qui revêtent différentes formes, tailles et même nuances (vertes si elles sont faites avec du jus d'épinard ou d'ortie), et qui sont souvent farcies. On raconte que les tortellini de Bologne furent créées par un cuisinier qui songeait au nombril d'une femme adorée au moment où il enroula la première nouille autour de son petit doigt. Les gens de Bologne servent les tortellini al ragù (sauce à la viande, recette page 124) ou in brodo (dans un bouillon de bœuf ou de poule). Les tortelli alle erbette de Parme sont farcis d'un mélange crémeux composé de ricotta, de betterave, d'épinard et parfois de bette (recette page 123). La ricotta est utilisée également dans les tortelli alla piacentina de Plaisance. Dans cette région où les porcheries sont légion, les sauces pour les pâtes sont généralement relevées par de la pancetta, un lard non fumé. À table, les convives saupoudrent leurs portions de parmigiano-reggiano, un fromage remarquable qui jouit d'une telle estime que deux cités – Parme et Reggio – en revendiquent la paternité exclusive.

Tous ces mets ont pris naissance en Émilie, qui représente à peu près les deux tiers de la région – sa partie occidentale, s'étendant de Bologne à Plaisance. Le nom de l'Émilie dérive de la Via Emilia, achevée en 187 avant J.-C. et qui constituait un chaînon vital dans le système des importantes chaussées qui reliaient la Rome ancienne à ses colonies. De nos jours, la voie romaine est recouverte par l'autoroute, longeant des cités qui, au Moyen Âge et à la Renaissance, comptaient parmi les plus importantes de toute l'Europe, et qui se rangent à présent au nombre des plus prospères d'Italie : Bologne, Modène, Parme, Reggio nell' Emilia.

Dans le nord, à cinq kilomètres des rives du Pô et de la frontière de la Vénétie, se situe Ferrare, "la première ville moderne d'Europe", comme l'écrivait en 1860 Jacob Burckhardt dans son ouvrage intitulé *la Civilisation de la Renaissance en Italie.* Ferrare a été un avant-poste clé des États pontificaux, aux mains du clan des Este. Le Castello Estense, commencé en 1385 après un soulèvement mené par des citoyens surchargés d'impôts, semble encore prêt à repousser les assauts, avec ses quatre tours de commandement et ses douves impressionnantes. L'idée était de garder les maraudeurs à l'extérieur et de retenir à l'intérieur tout candidat à l'évasion – les méthodes de la famille d'Este ne manquaient assurément pas de fermeté. Lucrèce Borgia, introduite dans la famille par son mariage (et une dot énorme), était une pure innocente en comparaison, par exemple, de Niccolò III qui, suspectant une intrigue entre sa femme et son fils, les fit tranquillement décapiter tous les deux. Et aujourd'hui, il sourit à la postérité du haut de son piédestal dressé dans le Palazzo del Comune. Le dernier duc, Alphonse II, fort admiré pour sa méticulosité, inspira, longtemps après sa mort, un poème terrifiant de Robert Browning, *My Last Duchess,* où le narrateur raconte la fin infortunée que trouva l'épouse d'Alphonse II, simplement parce qu'elle avait "Un cœur - comment dire ? - trop prompt à se réjouir". Une plus grande chaleur émane heureusement des habitants actuels de Ferrare.

Les Este formaient cependant un clan profondément attaché à sa cité : ils la dotèrent de larges boulevards bien tracés et d'un parc municipal, l'un des premiers d'Europe. Au XXe siècle, Giorgio de Chirico peignit durant quelques années à Ferrare. Ses toiles "métaphysiques" reflètent la prolifération insensée de formes incongrues dans la cité, comme l'arcade du centre commercial installé dans un long côté de la cathédrale rose.

Le Castello et la cathédrale se dressent au milieu de la vieille ville et projettent à la tombée du jour des ombres fascinantes. Des habitants de Ferrare de tous les âges, beaucoup à bicyclette, convergent alors vers cet endroit, pour y tenir les conversations des plus détendues.

1. *Rangées de jambons séchant et vieillissant au Quattro Stagioni Prosciuttificio (une fabrique de jambon) à Langhirano.*

2. *Pastèque et cantaloup au marché de Modène.*

3. *Un tonneau d'aceto balsamico mis à vieillir dans le grenier de la fabrique Fini à Modène. Certains tonneaux sont gardés spécialement pour la famille ou les amis, qui prélèvent un peu de vinaigre à la fois ; ce tonneau-ci est conservé pour un prêtre.*

4. *Pâtes fraîches à l'Antica Trattoria del Cacciatore à Bologne, avec de haut en bas : tagliatelles, tortellini, farfalline et tortelli all'ortica (recette page 123).*

5. *Julio Monari sur le seuil de son restaurant Carducci à Modène, avec Lucia Zampolli, qui prépare les pâtes.*

6. *Des taglioline, une pâte très fine, que vient à peine de couper Wanda Ferrari, à l'Antica Trattoria del Cacciatore de Bologne.*

7. *Du pain crescenta préparé avec des petits morceaux de lard à l'Antica Trattoria del Cacciatore.*

8. *Un sympathique pêcheur sur la rive du Pô à Lido di Guastalla, au nord-est de Parme. Il pêche uniquement pour le plaisir, car la pollution du fleuve rend sa prise tout à fait immangeable.*

9. *Un panneau publicitaire au bord de la route, annonçant la vente de pastèques fraîches, à proximité de Cadecoppi.*

1

2

3

4

5

6

7

8

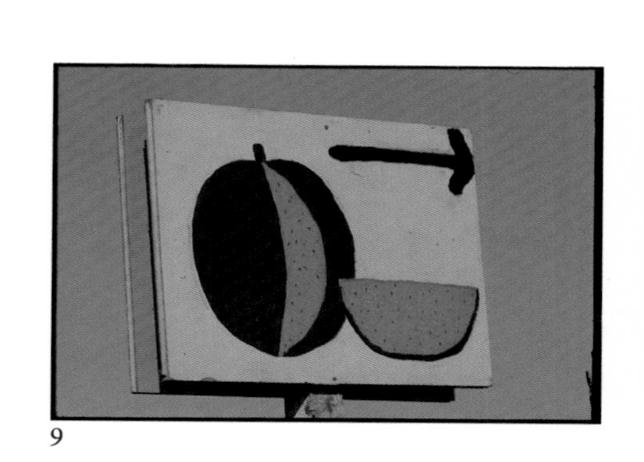

9

Les visiteurs s'émerveillent des liens naturels qui se tissent entre les générations italiennes : jeunes et vieux se rassemblent spontanément, comme s'ils étaient réunis par l'attraction magnétique du passé – ou par les peines qu'ils partagent, tant la longue histoire de l'Italie a été douloureuse. Un monument de Ferrare pleure les Juifs qui périrent durant la Deuxième Guerre mondiale, dans les camps de la mort nazis où ils avaient été expédiés, un drame tragique que décrit aussi le romancier de Ferrare Giorgio Bassani dans *le Jardin des Finzi-Contini*. L'héritage juif survit de façon plus légère dans de nombreuses spécialités locales, qui remplacent le porc par de l'oie, du poulet et du lapin. Ferrare propose également les tortellini farcis à la courge (une recette similaire provenant de Vénétie figure en page 22) et les cappellacci comme les cappelletti en forme de bonnet (d'où leurs noms).

Les Este convoitèrent Modène, située au milieu de cette plaine couverte de vergers. Ce qu'ils désiraient, ils le prirent : Modène leur appartint du XIVe au XIXe siècle, et porte encore leur empreinte exigeante. C'est une cité aux belles proportions et d'une richesse impressionnante, due pour une bonne part à Ferrari et Maserati – ces firmes automobiles ont en effet des usines à proximité. Les gastronomes honorent deux autres noms, Fini et Federzoni, tous deux fabricants d'aceto balsamico, l'élixir sombre. Les habitants de Modène attribuent au vinaigre des pouvoirs curatifs (d'où l'adjectif balsamico). Lucrèce Borgia jurait qu'il atténuait les douleurs de l'accouchement.

Les familles de Modène produisent leur propre vinaigre, en se servant de méthodes qui remontent à plusieurs siècles. Sa base est le raisin trebbiano, que l'on fait bouillir jusqu'à obtention d'un moût et que l'on verse ensuite, une fois refroidi, dans toute une batterie de tonneaux : pas moins de cinq, de taille décroissante (de 50 à 10 litres). Chaque tonneau est fait d'un bois différent (le plus souvent cerisier, châtaignier, genévrier, mûrier et chêne) et possède son arôme propre, qui s'infiltre dans le liquide pendant le vieillissement. La batterie est enfermée dans le grenier familial, l'endroit idéal, parce qu'il est soumis aux températures extrêmes que le vinaigre requiert. La femme de la maison – c'est toujours elle qui détient la clé – tire la provision annuelle du plus petit tonneau, dont le contenu a vieilli, dans certains cas, une centaine d'années (en référence aux Este, qui préféraient laisser reposer le vinaigre pendant trois siècles). Les gens de Modène répandent ce vinaigre sur tout – y compris les fraises.

Ce vinaigre supporte mieux le transport, diront certains, que n'importe quel vin d'Émilie-Romagne, mieux même que l'exubérant Lambrusco de Modène, un rouge sec, parfumé aux violettes. Trois autres vins méritent une mention : l'Albano et le Trebbiano (tous deux des blancs) et le Sangiovese (un rouge). Ils proviennent tous les trois des pentes de la chaîne des Apennins situées en Romagne.

La capitale gastronomique de l'Émilie-Romagne est sans conteste son chef-lieu, Bologne, qui a pour surnoms "la Grasse" et "l'Érudite". Ces caractéristiques sont associées, car ici alimentation et érudition vont souvent de pair.

Personne ne fut surpris quand un groupe théâtral d'avant-garde mit en scène à l'auguste université de Bologne – la plus ancienne de la chrétienté, fondée en 1088 – une œuvre de Pellegrino Artusi, *La scienza in cucina o l'arte del mangiar bene* (la science en cuisine ou l'art du bien manger), un livre classique de cuisine italienne, publié pour la

Jambons de Parme séchant à l'ancienne dans le grenier du Prosciuttificio des Fratelli Adorni, Ivo et Remigio, à Felino, près de Parme.

Une portion de jambon de Parme et de figues au restaurant Da Ceci, tenu par la famille Ceci, dans un pavillon de chasse du XVIIIe siècle à Collecchio, autrefois propriété de Marie-Louise, seconde épouse de Napoléon.

Jambon de Parme et figues attendant d'être coupés et servis au restaurant Da Ceci, dans la Villa Maria Luigia à Collecchio. ▸

première fois en 1891. Artusi fut le Garibaldi de la cuisine italienne, lui qui espérait créer un *risorgimento* culinaire fondé sur les recettes de l'Émilie-Romagne (ou orienté vers elles). Son esprit survit dans la chambre de commerce de Bologne, où une tagliatelle parfaitement tournée est solennellement conservée.

Bologne fut aussi durant de nombreuses années la ville phare de l'eurocommunisme. "Vous devez y aller", insistaient les jeunes engagés de Pérouse, là où, non moins engagé, je luttais pour apprendre l'italien à l'Università per Stranieri. C'était en 1976, l'année du bicentenaire américain. Apprendre ce que l'avenir postcapitaliste nous réservait, semblait une bonne idée. Je m'attendais, je suppose, à un Disneyland prolétarien, mais je découvris au lieu de cela une cité médiévale, avec une place superbe entièrement close, la piazza Maggiore, dominée par l'immensité rougeâtre de San Petronio, une église qui ne fut jamais achevée, mais qui se révèle peut-être d'autant plus imposante pour cette raison, comme si elle pouvait soudain prendre une forme nouvelle, et encore plus grandiose. La vieille ville de Bologne comprend tout un réseau ingénieux de rues à portiques, et je les ai arpentées avidement, ignorant les boutiques, les salumerie – chacune exposant un inimaginable étalage de saucisses –, et les innombrables restaurants ; j'étais venu pour trouver des communistes, et je suis finalement tombé sur une foule de petits hommes minuscules et ratatinés, vêtus de vestes et de chemises sans cravates méticuleusement boutonnées jusqu'au col, en dépit de la chaleur brûlante de midi. Quelqu'un m'assura que j'avais là d'authentiques spécimens, de véritables communistes, mais le journal au sujet duquel ils se querellaient était *La Gazzetta dello Sport*, ouverte aux pages du *calcio*.

Du coniglio arrosto, du lapin rôti, prêt à cuire à la Trattoria Casa delle Aie à Cervia (recette page 129).

Du coniglio arrosto prêt à être servi à la Trattoria Casa delle Aie à Cervia (recette page 129).

Plus tard, dans une enoteca – ou bar à vin, approvisionné toutefois en une variété encyclopédique de millésimes ("l'érudite" à nouveau) – je suis entré en conversation avec quelques étudiants de l'université, tous communistes. "Savez-vous quel est le symbole de Bologne ?", me demanda l'un d'entre eux, qui gesticulait avec précision, comme s'il tenait une baguette dans ses doigts plutôt mous. Ma réponse était toute prête : je savais même comment dire "faucille" en italien. "Le symbole", répliqua-t-il en écrasant son poing bien en chair quelques centimètres au-dessus de son verre à vin vide, "c'est le mortier et le pilon". Il se pencha en arrière, tout triomphant. Il m'expliqua que ce sont les instruments utilisés pour préparer la mortadella, une forme abrégée du mortaio della carne di maiale ("le mortier de viande de porc"), le célèbre saucisson de la ville, lointain parent de notre humble saucisse bolognaise. Les règles pour sécher la mortadella ont été mises en forme au XIVe siècle par la guilde des fabricants de saucisson de Bologne. La première recette complète de mortadelle apparaît dans le *Libro novo*, un livre de cuisine publié en 1557 (l'auteur recommande de laisser mariner le porc maigre pendant trois jours dans du vin rouge). Dans le film *La Mortadella* (1971), Sophia Loren ne parvient pas à franchir la douane américaine avec son cadeau de mariage, une énorme mortadelle. Plutôt que de la céder, elle la mange, morceau par morceau, avec l'aide d'autres voyageurs.

Bologne est la porte d'entrée vers la Romagne, une région d'un caractère totalement différent de celui de l'Émilie, bien que même les éditeurs de l'*Enciclopedia italiana* avouent qu'il soit impossible de tracer une ligne de démarcation précise. Pour le voyageur, les différences sont indubitables : l'Émilie est dominée par la ville et la plaine, la Romagne, par les Apennins et la côte adriatique. Ici se situent les quatorze embouchures du Pô – le delta le plus complexe d'Europe, un labyrinthe de lagunes. La plus grande de ces lagunes, celle de Comacchio, est réputée pour ses anguilles. En automne, les anguilles se déplacent en une masse noire frétillante, en direction de la mer, et des fermiers les attrapent. Les cuisiniers de la Romagne grillent les anguilles entre des feuilles de laurier (anguilla in gratella), les font macérer dans du vinaigre de vin et des épices (anguilla marinata) ou les jettent dans des soupes épaisses et des ragoûts.

La ville la plus remarquable de Romagne est Ravenne, sur la côte adriatique. Ce fut, pendant plus de 300 ans, la première ville d'Italie – le siège, d'abord, des empereurs romains (d'où le nom Romagna) qui fuyaient les envahisseurs ; puis, celui des envahisseurs eux-mêmes, les rois germains ; et, pour finir, celui des vice-rois byzantins, une fois que Ravenne eut été récupérée par l'empereur Justinien. Au milieu de ce tumulte, la ville s'est épanouie pour devenir la capitale originale de l'art chrétien occidental, grâce à ses étonnantes mosaïques, dont certaines remontent au VIe siècle – témoignages d'un brillant art religieux engendré par une époque résolument sombre. Les pèlerins et les touristes d'aujourd'hui glissent des pièces de monnaie dans une boîte, ce qui a pour effet de plonger les carreaux d'or en pleine lumière, une lumière électrique, purement matérielle et fort précieuse.

Quand nous avons visité Ravenne, ma femme et moi, il y a quelques années, la ville entière était en ébullition pour la célébration de la Festa dell'Unità, la fête communiste annuelle, organisée cet été-là autour d'une protestation contre la guerre des étoiles du président Reagan. Curieux, dès lors, que l'événement central fut en fait un match de football, non pas de football européen mais de football américain, traduit de façon convaincante dans les grognements et les encouragements des spectateurs ("Attaque, en avant !"). Les mots semblaient surréels, mais quelles phrases mortelles ne le seraient pas quand elles sont lancées sur le gazon où jadis marchait Dante ? (Il acheva les chants finaux du Paradiso à Ravenne en 1320, juste à temps pour franchir le seuil céleste puisqu'il succomba à une fièvre en 1321). Et pourtant, au fur et à mesure que se poursuivait l'après-midi, le spectacle revêtait la dignité d'une grande cérémonie archaïque – vingt-deux paladins descendus de cheval s'affrontant avec une fureur soudaine, leurs uniformes trempés de sueur et couverts d'une véritable croûte de saleté. Il était difficile de dire quel moteur animait les acteurs – jusqu'à quelques minutes après le jeu, quand ils surgirent du vestiaire. Vêtus des tee-shirts marqués d'inscriptions folles qui faisaient fureur à l'époque ("Dallas-Pittsburgh Yankees"), ils étaient entourés des bras consolateurs de leurs petites amies, chacunes aussi ravissantes qu'un mannequin.

Plus tard dans la journée, après avoir vu sans bourse délié la lumière crépusculaire teinter de rouge les façades du piazzale San Francesco, nous partîmes à la recherche de notre restaurant de fruits de mer. Là, en nous installant pour nous régaler de minuscules palourdes et de succulentes crevettes (au parfum de homard), nous avons pu rêver qu'elles auraient toujours cette saveur fraîche, en dépit de la pollution causée par les raffineries de pétrole qui étouffaient déjà les pinèdes sacrées où Dante flânait autrefois, sur le petit sentier qui mène au paradis.

Sam Tanenhaus

1. *Fermiers fanant près de Busseto, le lieu de naissance de Giuseppe Verdi, dans le nord de l'Émilie-Romagne.*

2. *Arcades typiques de Modène.*

3. *Une ferme sur une île à Po di Volano, une région de rivières et de canaux située près de Ferrare.*

4. *Filets de pêcheurs dans le brouillard sur le canal près de Cervia, sur la côte adriatique, au sud de Ravenne.*

5. *Une scène brumeuse près de Gussola, entre Parme et Mantoue.*

6. *La nuit est tombée sur le piazzale San Francesco à Ravenne.*

7. *Le château de Torrechiara, entre Langhirano et Parme.*

8. *Les nonne, les grands-mères, avec leurs ouvrages de couture, ainsi qu'un vieil ami, devant leur maison, sur la route qui mène à Imola.*

1

2

3

4

5

6

7

8

Tortelli all'Ortica Raviolis farcis à l'ortie

À la façon de Giancarlo Ceci du restaurant Da Ceci, Collecchio

Pour 8 personnes

La pâte :

400 g de farine tous usages
7 œufs

La farce :

450 g d'orties comestibles ou d'épinards crus
450 g de ricotta
50 g de parmesan râpé
100 g de mortadelle, coupée finement
30 g de chapelure
1 œuf battu
1 pincée de noix muscade fraîchement râpée
1 cuillerée à soupe de persil haché fin
1 gousse d'ail épluchée et finement broyée
2 cuillerées à café de sel
1 cuillerée à café de poivre

La garniture :

60 g de beurre fondu
2 cuillerées à soupe de sauge fraîche hachée finement, ou 1/2 cuillerée à soupe de sauge sèche
50 g de parmesan fraîchement râpé

Pâtes fraîches au restaurant Carducci de Modène. De haut en bas : tagliolini, tagliatelles, tortellini et papardelle.

Préparez la pâte des tortelli comme indiqué page 247, en utilisant les ingrédients mentionnés ci-dessus.

Lavez et élaguez les orties ou les épinards. Faites-les bouillir 3 ou 4 minutes dans de l'eau légèrement salée, égouttez-les soigneusement et exprimez-en toute l'eau. Quand ils sont refroidis, hachez-les finement et mélangez-les aux autres ingrédients de la farce dans un bol.

Fabriquez les tortelli en farcissant la pâte, suivant les instructions figurant en page 247. Assurez-vous que les tortelli soient bien scellés sur tous leurs bords. Cuisez-les dans de l'eau bouillante salée pendant environ 5 minutes, égouttez-les et servez-les garnis de beurre fondu, de sauge et de fromage râpé (*photographies de ces tortelli réalisés avec une pâte aux épinards, pages 124 et 125*).

Ces tortelli sont une spécialité estivale de la province de Parme. La farce peut être réalisée aux épinards, à la verdure de betterave ou aux bettes.

Tortelli alla Erbette Raviolis aux bettes

À la façon de Giancarlo Ceci du restaurant Da Ceci, Collecchio

Pour 8 personnes

La pâte :

400 g de farine tous usages
7 œufs

La farce :

450 g de bettes
400 g de fromage ricotta
30 g de parmesan râpé
2 œufs
1 pincée de noix muscade râpée
Sel et poivre

La garniture :

60 g de beurre fondu
2 cuillerées à soupe de sauge fraîche hachée finement, ou 1/2 cuillerée à soupe de sauge sèche
50 g de parmesan fraîchement râpé

Suivez toutes les instructions données pour les tortelli all'ortica, ci-dessus, en élaguant et en faisant bouillir les bettes au lieu des orties. Servez avec la garniture de beurre fondu, de sauge et de parmesan.

◂ *Les ingrédients et la préparation des tortelli alla erbette au restaurant Da Ceci de la Villa Maria Luigia.*

Le façonnage des tortelli all'ortica avec une pâte aux épinards à l'Antica Trattoria del Cacciatore à Bologne (recette semblable réalisée avec de la pâte ordinaire aux œufs, page 123).

La sauce ragù a fait, sous l'une ou l'autre de ses formes, le tour du monde. Presque toutes les régions d'Italie possèdent leurs propres variantes, utilisant des foies de poulet, du bœuf, du porc ou du veau, mouillés parfois de vin blanc sec plutôt que de vin rouge. La quantité de tomate employée peut être adaptée aux préférences de chacun, mais le goût de tomate ne doit surtout pas effacer le reste. Le ragù est généralement préparé quelque temps avant d'être consommé, et conservé au réfrigérateur, où les différentes saveurs acquièrent une cohérence bénéfique. Les Italiens ont pris l'habitude de le congeler dans des boîtes hermétiques, puisque le réchauffer ne prend que peu de temps et que la formule se révèle fort pratique quand se présentent des hôtes surprises. Servez le ragù bolognese avec des tagliatelles ou un autre type de pâtes, en veillant à bien mélanger le ragù aux pâtes très chaudes dans un plat chauffé, pour que les pâtes s'imprègne en profondeur de la sauce. Le plat peut être ensuite garni d'un petit peu de beurre, et on le saupoudrera généreusement de parmesan râpé au moment de passer à table.

Ragù Bolognese Sauce bolognaise à la viande

À la façon de Stefano Ferrari de l'Antica Trattoria del Cacciatore, Bologne

Pour 6 personnes

50 g de pancetta, coupée finement
15 g de beurre
15 ml d'huile d'olive ou d'huile végétale
1 oignon épluché et haché fin
1 carotte épluchée et finement hachée
1 branche de céleri finement hachée
450 g de viande hachée de porc, de veau ou de bœuf, ou un mélange des trois
100 g de foies de poulet, émincés
250 ml de vin blanc
3 cuillerées à soupe de concentré de tomate
1 cuillerée à café de sel
1 cuillerée à café de poivre
1 pincée de noix muscade fraîchement râpée (facultatif)
450 ml de bouillon de viande chauffé
225 ml de crème ou de lait (facultatif)

Faites doucement dorer la pancetta dans une grande casserole avec le beurre et l'huile (certains cuisiniers pensent que le ragù doit être préparé dans une marmite en terre cuite, sans quoi son goût sera radicalement modifié). Ajoutez l'oignon haché, la carotte et le céleri et faites sauter à feu moyen.

Lorsque les légumes sont dorés, ajoutez la viande hachée et faites dorer le tout uniformément. Ajoutez les foies émincés ; puis, sur 3 minutes, ajoutez le vin et cuisez jusqu'à évaporation. Finalement, ajoutez le concentré de tomate et remuez. Assaisonnez de sel, de poivre et de noix muscade si souhaité, et ajoutez le bouillon. Amenez à ébullition, couvrez, réduisez la chaleur et mijotez pendant 2 heures.

Mélangez le ragù de temps en temps durant la cuisson et goûtez pour rectifier l'assaisonnement. Au bout de 2 heures, enlevez le couvercle et mijotez quelque temps encore, afin de réduire le liquide si la sauce est trop coulante. Certains Bolognais ajoutent au tout dernier moment quelque 200 ml de crème ou de lait à la sauce, pour la rendre plus onctueuse.

Pâtes traditionnelles servies à l'Antica Trattoria del Cacciatore : en haut, tortelloni all'ortica dans une sauce au beurre et à la sauge (recette semblable page 123) ; en bas, une portion de tagliatelles garnies de ragù bolognese. ►

Tranches fraîchement coupées de parmigiano-reggiano (parmesan) au Caseificio Rastelli à Rubbiano di Solignano.

Le sformato di carciofi, gâteau d'artichauts, est en fait un croisement entre un pudding anglais et un soufflé. Sa préparation exige du temps, mais elle demande moins d'œufs qu'un soufflé et la cuisson en est nettement plus simple. Il peut être servi seul ou comme plat d'accompagnement (on le recommande ainsi avec les escalopes de veau de la page 129). Le sformato est difficile à trouver dans les restaurants de la région, mais il occupe une place de choix dans la cuisine domestique.

Sformato di Carciofi Gâteau d'artichauts

À la façon de Stefano Ferrari de l'Antica Trattoria del Cacciatore, Bologne

Pour 4 personnes

6 cœurs d'artichaut frais ou 450 g de purée de cœurs d'artichaut surgelée ou en conserve
Du jus de citron
30 g de beurre, plus un supplément pour préparer le plat à four
225 g de sauce béchamel
25 g de parmesan râpé
2 œufs, dont on aura séparé les blancs des jaunes
De la farine ou de la chapelure pour préparer le plat à four

Préparation de la béchamel :

20 g de beurre
2 cuillerées à soupe d'oignon haché fin
2 cuillerées à soupe de farine tous usages
250 ml de lait froid

Préchauffez le four à 190° C.
Si vous utilisez des artichauts frais, enlevez toutes leurs feuilles extérieures en les cassant net au-dessus de la partie blanche. Lorsque vous aurez atteint le "cône" intérieur, là où la longueur des têtes vertes des feuilles se limite à 2,5 cm, coupez ces têtes. Ensuite, divisez les artichauts en deux verticalement, et retirez de chaque moitié les petites feuilles intérieures et les petits poils (la "barbe") sous celles-ci. Taillez un peu plus de la partie extérieure verte des feuilles à la base de chaque moitié d'artichaut et coupez les queues. Laissez couler goutte à goutte du jus de citron sur les artichauts préparés, pendant que vous achevez les autres, afin de leur éviter de brunir. Coupez les artichauts en quartiers et faites-les bouillir 5 minutes dans de l'eau salée. Égouttez-les bien, puis faites-les sauter dans 30 g de beurre, durant 5 minutes. Réduisez les cœurs en purée dans un robot de cuisine ou un mixer, jusqu'à obtenir une préparation onctueuse.

Préparez la béchamel. Mélangez la purée de cœurs d'artichaut au fromage et à la sauce béchamel. Battez les jaunes d'œufs et, séparément, les blancs en neige légère et incorporez-les. Tapissez de beurre et de farine un plat à soufflé de 20 cm ou 4 ramequins individuels, et versez-y le mélange d'artichauts. Placez ce plat dans un plat à four plus grand rempli d'eau très chaude, et cuisez 30 à 40 minutes. Le sformato doit être légèrement doré sur le dessus.

Laissez le sformato refroidir pendant à peu près 10 minutes, puis retournez-le sur un plat de service.

Faites fondre le beurre dans une petite casserole, ajoutez l'oignon, et faites-le sauter à feu fort doux jusqu'à ce qu'il soit ramolli. Veillez à ce que le beurre ne brunisse pas. Incorporez la farine en fouettant, et cuisez à feu doux en remuant constamment, pendant environ 4 minutes, jusqu'à ce que la sauce soit onctueuse. Tout en fouettant, versez peu à peu le lait froid, en vous assurant, avant d'ajouter du lait supplémentaire, que la sauce est redevenue homogène.

Quand tout le lait a été versé, poursuivez la cuisson de la béchamel à feu doux, en remuant de temps en temps, jusqu'à ce qu'elle soit parfaitement liée. La béchamel sera prête à l'emploi au bout de 5 minutes environ, mais dans la préparation italienne traditionnelle, on la laisse cuire 30 longues minutes.

La première étape de la fabrication du parmesan au Caseificio Rastelli à Rubbiano di Solignano : on remonte du lait caillé dans une forme.

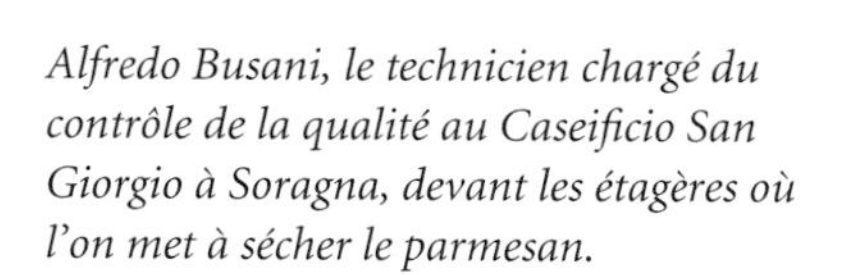

Alfredo Busani, le technicien chargé du contrôle de la qualité au Caseificio San Giorgio à Soragna, devant les étagères où l'on met à sécher le parmesan.

Un expert en train de tester la qualité du jambon au Quattro Stagioni Prosciuttificio à Langhirano.

Le pain piada, familièrement appelé piadina, est le symbole gastronomique de la région de l'ancienne Romagne. Il se sert fort chaud, enroulé autour d'une tranche de jambon et d'un fromage mou, et on le mange comme un sandwich.

Piadina Romagnola Pain piadina

À la façon de Gilberta Santarelli de la Trattoria Casa delle Aie, Cervia

Pour 6 personnes

400 g de farine
90 g de saindoux
1 cuillerée à soupe de sel
2 cuillerées à café de levure chimique
Environ 300 ml d'eau chaude

Disposez la farine sur votre plan de travail et creusez un puits au centre. Ajoutez le saindoux, le sel et la levure chimique. Ajoutez la moitié de l'eau chaude et commencez à travailler les ingrédients ensemble, tout en continuant à ajouter de l'eau pendant que vous mélangez, jusqu'à l'obtention d'une pâte ferme.

Pétrissez la pâte jusqu'à ce qu'elle soit extrêmement lisse et légère. Formez des pâtons et enveloppez-les dans un linge saupoudré de farine, pour éviter tout dessèchement.

Étendez au rouleau chaque pâton jusqu'à ce qu'il soit parfaitement mince.

Chauffez une tôle à très haute température et cuisez chaque piadina aussi rapidement que possible, en perçant le pain à l'aide d'une fourchette et en la retournant quelques fois.

Quand la cuisson est achevée, la piadina doit être légèrement brûlée à certains endroits et presque pas cuite à d'autres.

Des femmes en train de fabriquer du pain piadina dans un feu ouvert à la Trattoria Casa delle Aie à Cervia.

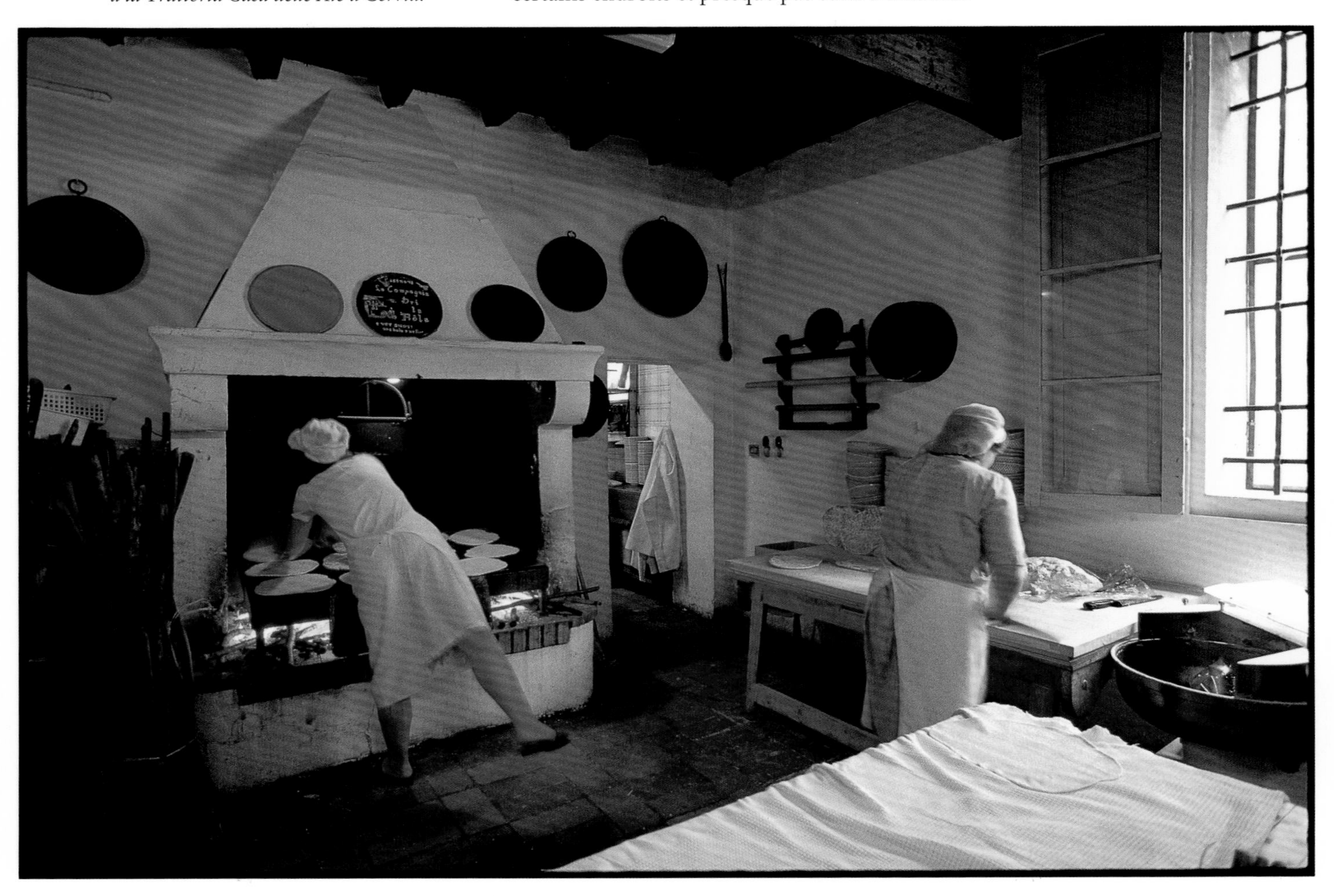

La Trattoria Casa delle Aie à Cervia est installée dans une ferme du XVIIIe *siècle, que la société historique locale a restaurée et dont elle assure dorénavant l'entretien. Cette ferme est reconnue comme un témoin du passé par le ministère italien des Beaux-Arts. Madame Gilberta Santarelli, la directrice, préside aux destinées de la cuisine. On peut conseiller des pommes de terre en chemise comme accompagnement pour ce lapin rôti.*

Coniglio Arrosto Lapin rôti

À la façon de Gilberta Santarelli de la Trattoria Casa delle Aie, Cervia

Pour 4 personnes

2 gousses d'ail épluchées et broyées très finement
2 rameaux de romarin frais haché fin
100 ml de vin blanc
100 ml d'huile d'olive
2 jeunes lapins, découpés en rôti

Mélangez ensemble l'ail, le romarin, le vin et l'huile ; laissez mariner toute une nuit les morceaux de lapin dans ce mélange, au réfrigérateur, en les retournant de temps en temps.

Préchauffez le four à 200°C.

Disposez les morceaux de lapin dans un plat à rôti, puis versez la marinade par-dessus. Faites-les rôtir au four pendant 20 minutes, en arrosant fréquemment. Retournez-les ; ensuite, faites rôtir 20 nouvelles minutes, en arrosant souvent.

Pour servir, disposez les morceaux de lapin sur un plat, enlevez l'huile du jus, et versez ce dernier sur la viande (photographies pages 118 et 119).

L'une des splendides mosaïques du chœur de la basilique San Vitale de Ravenne, représentant l'impératrice Théodora offrant le vin du Sacrifice.

On recommande le sformato di carciofi (recette page 126), un gâteau d'artichaut, comme accompagnement pour les escalopes de veau que voici.

Scaloppine di Vitello Escalopes de veau

À la façon de Stefano Ferrari de l'Antica Trattoria del Cacciatore, Bologne

Pour 4 personnes

4 escalopes de veau de 110 g
1 cuillerée à café de sel
60 g de farine
2 œufs
100 g de chapelure
30 g de beurre
4 fines tranches de jambon fumé
4 tranches de parmesan fines ou 25 g de parmesan râpé gros
50 ml de crème

Préchauffez la rôtissoire ou le gril.
Faites aplatir par le boucher les escalopes, pour qu'elles soient très minces.

Ajoutez la moitié du sel à la farine dans une assiette, et battez les œufs avec le reste du sel dans un grand bol peu profond. Enduisez chaque escalope de veau de farine, plongez-la ensuite dans l'œuf, et recouvrez enfin de chapelure.

Faites fondre le beurre dans une grande poêle et cuisez les escalopes de veau sur chaque face jusqu'à ce qu'elles soient dorées, environ 2 minutes par face.

Disposez les escalopes de veau dans un grand plat à four. Garnissez chacune d'elles d'une tranche de jambon et d'une tranche de fromage (ou du 1/4 du fromage râpé). Versez une cuillerée à soupe de crème sur chaque escalope, placez le plat sous la rôtissoire (ou un gril très chaud) et cuisez jusqu'à ce que le fromage soit doré. Servez avec le gâteau d'artichaut.

Le résultat final du bollito misto présenté sur ce plateau de service chauffé, à la Clinica Gastronomica Arnaldo à Rubiera.

Le bollito misto, un assortiment de viandes bouillies, est un des plats favoris de l'Émilie-Romagne, mais que l'on trouve également dans le Piémont, en Lombardie, en Toscane et dans le Val d'Aoste, où il porte le nom de lesso, ce qui signifie "bouilli". Les deux appellations différentes suggèrent deux préparations distinctes, et il en est bien ainsi. Cette recette-ci fait parfaitement ressortir la saveur et la succulence des viandes ; en plongeant les principaux ingrédients dans la marmite lorsque l'eau frémit, on enferme le jus à l'intérieur de la viande. Dans la préparation du lesso, par contre, les ingrédients sont placés dans de l'eau froide et cèdent donc leurs meilleures saveurs au bouillon.
Servez le bollito misto accompagné d'une salsa verde, une sauce verte piquante (la recette suit). On peut également adjoindre au bollito misto des pickles, de la moutarde de Crémone, ou des légumes tels que carottes, oignons, poireaux ou pommes de terre, cuits séparément. Le bouillon peut être récupéré et utilisé pour d'autres plats, comme les cappelletti in brodo ou encore du risotto. Il peut aussi être gardé quelques jours au réfrigérateur ou être congelé.

Bollito Misto Assortiment de viandes bouillies

À la façon de M. et Mme Degoli de la Clinica Gastronomica Arnaldo, Rubiera

Pour 8 personnes

2 grosses carottes épluchées
2 grosses tiges de céleri, élaguées
2 oignons moyens épluchés
1 langue de bœuf (d'environ 900 g)
1 pied de veau ou de porc (d'environ 450 g)
500 g de poitrine de bœuf
1 cuillerée à soupe de sel et 1 de poivre
Un poulet d'1 kg environ
500 g de rouelle de veau
1 saucisse cotechino de 450 g, précuite
1 saucisse zampone (saucisse fourrée au pied de porc) de 450 g, précuite

Placez les légumes, la langue et le pied de veau ou de porc dans une très grande marmite en veillant à ce que l'eau très chaude les recouvre. Mettez la marmite à feu vif, amenez à ébullition et écumez la mousse qui se forme à la surface.

Ajoutez la poitrine de bœuf et assaisonnez de sel et de poivre. Couvrez et mijotez doucement pendant une heure. Ensuite, ajoutez le poulet et le veau, et mijotez encore à feu doux pendant 2 autres heures. Un peu avant la fin de ce délai, ajoutez les saucisses précuites dans la marmite, et cuisez pendant 20 nouvelles minutes.

Quand vous êtes prêt à servir, écorchez la langue et coupez-la en tranches très fines. Retirez les autres viandes du bouillon. Découpez le poulet de la façon habituelle. Coupez les saucisses en rondelles et découpez les viandes restantes.

Disposez toutes les viandes et le poulet sur un plat chauffé et arrosez d'un peu de bouillon très chaud.

Pour la salsa verde :

4 filets d'anchois conditionnés dans de l'huile
25 g de chapelure sèche, humectée de 2 cuillerées à soupe de vinaigre de vin rouge
3 gousses d'ail, épluchées
4 cuillerées à soupe de câpres
1 pincée de sel
4 cuillerées à soupe de persil haché fin
225 ml d'huile d'olive

Mélangez tous les ingrédients sauf l'huile au mixer, puis laissez couler l'huile goutte à goutte, afin d'obtenir une sauce onctueuse. Servez avec le bollito misto.

La totalité des ingrédients et le résultat après mélange de la salsa verde, l'accompagnement classique du bollito misto.

L'Enoteca Ca' de Ven, un ancien bar à vin et magasin célèbre de Ravenne. ▸

REGNI CAELORVM
VNA FIDES

ES PETRVS
MVNDO REFVLG

Vue plongeante sur le Forum romain, avec le Colisée à l'arrière-plan, une vision tout à fait classique de Rome.

Un amateur de champignons et sa récolte dans les collines des environs de Rome.

Les cèpes, que l'on trouve encore dans les bois, sont frits dans de l'huile avec de l'ail et du sel au restaurant La Foresta à Rocca di Papa.

◂ PAGES PRÉCÉDENTES
L'intérieur de la basilique Saint-Pierre de Rome.

VI. *Latium / Ombrie / Les Marches*

Nous qui sommes amoureux de la diversité de l'Italie, nous affirmons qu'il n'existe pas de cuisine italienne à proprement parler, mais seulement des cuisines régionales. Après tout, jusqu'à il y a un siècle, l'Italie n'existait pas et n'était qu'un "minestrone" de provinces souveraines perpétuellement en guerre. Il n'y avait pas de capitale et, même aujourd'hui, Rome ne peut pas être considérée comme la capitale culinaire de l'Italie, un titre que revendiquent farouchement des cités rivales qui ont pour noms Gênes, Florence et Bologne.

Le Latium pourtant ravi notre palais de gourmet. Nul doute ne subsiste quand on sait qu'ici les haricots sont servis dans un épais bouillon enrichi de pois chiches, un solide repas au demeurant. Les spaghetti y atteignent la plénitude de leur goût quand on les mélange avec des artichauts, des brocolis et des palourdes dans leurs coquilles, accompagnées d'une sauce très légère, avec une larme de vin blanc et juste assez de piment rouge du Chili pour accentuer la saveur subtile des palourdes (une combinaison extraordinaire).

À toutes les époques, depuis le voyage de retour de Marco Polo, les spaghettis ont uni les régions disparates de la péninsule, de la même façon que la langue italienne – d'une manière plutôt lâche. Dans le nord, aux terres bien irriguées, les gens consomment du riz plutôt que des pâtes, tandis que le sud aride exploite plutôt les céréales. La situation centrale du Latium lui vaut d'avoir accès à ces deux types de féculent, mais les pâtes restent l'aliment de prédilection. Elles sont à la base de la nourriture des pauvres gens ; ni aristocratiques ni bourgeoises, elles sont typiquement la chère d'une classe de gens qui travaillent dur. Avec la chute des Césars, la ville perdit la tradition des banquets somptueux, des festins dignes de Lucullus et des apôtres de l'extravagant général. La papauté ne développa jamais sa propre cuisine, parce que chaque nouveau pontife arrivait au Vatican avec ses cuisiniers et leurs recettes de province. Bien que la ville éternelle ne manquât jamais de gloire gastronomique, Rome fut incapable de promouvoir ses propres traditions de fine cuisine, car, à peine les monsignore s'étaient-ils habituer aux épinards Médicis ou au mouton Borgia, que Sa Sainteté s'éteignait et était remplacée par un successeur aux goûts différents.

De l'agneau et du porc à la broche au restaurant La Foresta de Gino Ferri à Rocca di Papa, un endroit pittoresque au sud de Rome où foisonne le gibier.

Les ingrédients d'une saltimbocca alla romana en préparation au Da Severino à Rome (recette page 158).

C'est dans la banlieue rurale de Rome et dans le ghetto que se développèrent les mets simples qui sont la gloire du Latium. Certains connaisseurs soutiennent même que la cuisine romaine est juive à la base. C'est que le ghetto était la seule partie de la ville à n'être pas affectée par les changements se produisant au Vatican, de sorte que ce sont les traditions culinaires romano-juives qui résistèrent le mieux et le plus logtemps.

Il est intéressant de noter que plusieurs des restaurants installés dans l'ancien ghetto de Rome sont populaires auprès des visiteurs étrangers parce que ceux-ci présument que la nourriture y est cascher – ce qui n'est pas le cas. Si ces ghettorie valent la visite, c'est plutôt pour quelques spécialités romano-juives, en particulier les carciofi (artichauts) alla giudea. Ces artichauts exquis sont d'abord cuits entiers, puis aplatis en forme de fleur et frits doucement dans une poêle, d'où ils ressortent croustillants et alléchants.

Mais quelle est donc la nourriture des paysans du Latium ? La coda alla vaccinara (queues de bœuf, dans une sauce si épaisse qu'elle s'apparente à de la gélatine) et la trippa alla romana (tripes avec de petites tomates, de l'ail et des carottes). Et il existe tant de légumes verts peu ordinaires dans le Latium qu'on peut véritablement parler de paradis du végétarien. La rughetta locale, rebaptisée arugula, se trouve partout maintenant. Mais où est-elle la meilleure ? Dans le Latium bien sûr, où elle est plus forte et plus aigrelette, parce que récoltée à l'état sauvage. On peut fort bien imaginer ces vieilles femmes qui vendent l'arugula sur les marchés se levant avant l'aube et passant au peigne fin les flancs de coteau des environs pour la cueillir encore couverte de rosée, pour leurs clients réguliers.

Le début de l'été annonce une autre délicatesse sauvage : les agretti, une plante succulente, ressemblant à de l'herbe, qu'il faudra cuire légèrement et servir avec de l'ail, de l'huile d'olive et des poivrons frais. Comme la plupart des produits du célèbre campo dei Fiori, le marché de Rome ouvert toute l'année, les agretti ne sont disponibles que pendant une fort courte saison. C'est la raison pour laquelle, dans le cours d'une année, vous trouverez ici une si large variété de légumes de différentes tailles, formes et textures.

Le paysage du Latium sont aussi variés que ses légumes. Collines aux formes étranges couronnées de pins parasols en cercles druidiques, précipices abrupts d'un côté, chênes-lièges qui s'y cramponnent : ce sont les pinacles militairement défendables où les Étrusques et les Latins installèrent les civilisations préromaines. Les plaines sont des marécages asséchés, où le moustique avait coutume de s'ébattre. La région regorge de villes médiévales intactes, chacune perchée au sommet de sa propre montagne aux formes bizarres; les vignobles s'accrochent aux pentes, les cultivateurs s'accrochent aux treilles, les soignant précautionneusement, les sélectionnant, les greffant, leur prodiguant toute l'affection requise. Et les raisins qui donneront le vin sont attachés en haut des treilles pour un accès

Les ingrédients et le résultat final de la zuppa di castagna, une simple soupe à la châtaigne, au restaurant Il Richiastro dans la ville médiévale fortifiée de Viterbe (recette page 154).

aisé, tout le contraire de leurs homologues français : vous pouvez faire confiance aux paysans du Latium quand il s'agit de se rendre la tâche plus agréable.

Temples, aqueducs et villas grandioses qui firent la gloire de l'Empire romain ont laissé leurs vestiges partout, choisissant toujours les sites les plus spectaculaires.

Dans le Latium, vous n'êtes jamais à plus de quelques minutes d'une merveille archéologique. Le citoyen moyen d'aujourd'hui, y compris le véritable Romain né à Rome, n'a pas été abîmé par cet héritage, qui fut plutôt pour lui une bénédiction : il est raffiné mais jamais pessimiste, sûr de lui-même mais jamais agressif, prudent mais jamais dépourvu d'humour. Il désire profiter lui-même de la vie, mais il souhaite que, vous aussi, vous puissiez prendre du bon temps. Nourriture et vin sont, comme on l'imagine, les piliers porteurs de ce programme ambitieux.

Rayonnant à partir de Rome dans l'arrière-pays du Latium, nous nous dirigeons vers le nord et mangeons une truite fraîche sur les bords du lac de Bracciano, en sirotant un vin blanc provenant des villes fortifiées proches comme Orvieto, de l'autre côté de la frontière avec l'Ombrie (où un monastère des chartreux, abandonné, a été converti en hôtel de luxe). Cerveteri, au sud-ouest de Bracciano, est l'une des grandes "cités des morts" où les Étrusques étaient enterrés dans de vastes tumulus en terre décorés de fresques évoquant leur vie ; ces fresques témoignent de l'importance des banquets dans cette civilisation perdue. Les vins provenant de la coopérative locale de Cerveteri ont énormément de corps et une saveur de noix ; vendus en bouteilles d'un litre, ils sont, dit-on, les plus purs et les moins frelatés du Latium. À quelques kilomètres de là, sur une désolante plage de lave noire, vous pouvez vous faire bronzer et même... bien manger. Aujourd'hui, une grande partie de cette côte méditerranéenne est à ce point polluée que le poisson "local" arrive chaque jour par avion de la côte atlantique. Mais les Italiens demeurent les plus fins connaisseurs de fruits de mer d'Europe : ils exigent le meilleur et le plus frais poisson possible et, selon les fournisseurs étrangers, n'hésitent pas à payer le prix pour l'obtenir.

Qu'en est-il de ces cageots luisants qui s'étalent le long du mur de mer de l'actif petit port de Fiumicino ? Ont-ils été débarqués par l'un de ces petits bateaux de pêche qui sortent en Méditerranée chaque jour, ou sont-ils en fait arrivés ici en transitant par l'aéroport de Rome tout proche ? Nous ne nous en préoccupons pas vraiment, parce que les meilleurs restaurants de poisson de l'Italie centrale s'échelonnent précisément le long de la rue principale de Fiumicino, offrant des spaghettis aux fruits de mer in cartoccia, arrosés d'un vin en carafe issu des collines albaines, ou encore un bar entier grillé, si parfait que le restaurateur vous gronde si vous osez demander un morceau de citron. Ces excursions dans la campagna romaine sont des coups d'œil inoubliables sur le léger et succulent Latium.

Vanessa Somers Vreeland

Une statue de la place du Capitole à Rome, siège du gouvernement de la cité depuis l'Antiquité.

La statue du pape Paul III à l'intérieur de la basilica di Santa Maria in Aracoeli, à Rome.

Abbacchio arrosto (agneau rôti) préparé au restaurant Da Severino à Rome. ▸

NTANA DI PAPA
COLLI

Enclavée entre la Toscane (au nord), la vallée du Tibre (vers l'est) et les hauts domaines montagneux des Marches, l'Ombrie est la seule province d'Italie centrale qui soit dépourvue de côte maritime. Cette zone agricole, riche en collines boisées, en vignobles et en oliveraies, pourrait encore aujourd'hui servir de décor à une fresque de la Renaissance représentant le saint bien-aimé de l'Ombrie, François d'Assise, parlant aux oiseaux. Une certaine forme de beauté et de sérénité mystique ont survécu dans ce paysage qui, dans sa majeure partie, n'est pas abîmé par le XXe siècle. À juste titre, les Italiens ont baptisé la région "le cœur vert de l'Italie".

La majorité des habitants de l'Ombrie sont des *contadini* (fermiers) et des artisans qui poursuivent les traditions héritées de leurs ancêtres étrusques et romains : l'agriculture, la fabrication du vin, la poterie, la menuiserie, et – la plus importante de toutes – la gastronomie, qui leur vaut renommée à travers toute la péninsule.

Jusqu'au début du XXe siècle, les *contadini* mangeaient peu de viande. Obligés de vendre leur bétail pour s'assurer un revenu annuel, ils imaginèrent la cucina contadina, la cuisine du paysan, basée sur des légumes de saison

Un homme occupé à traire ses brebis et ses chèvres à Castelluccio, dans les Monti Sibillini près de Norcia en Ombrie.

L'intérieur de la Basilica Superiore San Francesco à Assise, renommée pour ses fresques de Giotto. La célèbre Crucifixion peinte par Cimabue dans le transept nord de l'église se trouve au premier plan, sur la droite.

et du fromage. La nourriture forme une part importante du passé historique et de l'identité sociale de l'Ombrie, qui unit ses mythes folkloriques et ses rituels religieux. Comme aux temps des Étrusques et des Romains, des plats traditionnels marquent chaque événement important, de la naissance à la mort. Ne laissant jamais passer une occasion d'organiser une festa, les Ombriens se souviennent de leurs dieux chrétiens et païens en honorant les uns et les autres, sans faire de distinction, tout au long de l'année.

Il est dès lors inévitable que la pièce vouée à la cuisine constitue le centre de la ferme ombrienne. La vie tourne autour du foyer, où le caffellatte (café au lait) brûlant, le pain fait maison et le fromage de brebis assistent au départ des hommes pour les champs, et où l'arôme d'un sugo ou d'un minestrone bien chaud, composé de légumes du jardin fraîchement cueillis, les accueille au coucher du soleil, quand la famille est réunie pour le repas du soir. Les paysans ombriens sont des gens qui aiment profondément s'amuser, et leur franchise truculente ainsi que leur ardeur au travail leur valent le respect unanime. De fait, une étude récente a révélé que Todi, connue pour son atmosphère harmonieuse, est considérée comme la ville idéale pour la majorité des Italiens.

Je puis me porter garante de cette assertion, puisque je fais restaurer une vieille ferme de la vallée faisant face à Todi. Un habile maître entrepreneur et ses deux fils s'acharnent à rendre vie à une construction du XIIIe siècle. Cependant, sur le coup de midi, le travail s'arrête net. L'esprit inventif des artisans se préoccupe alors des matières

Farro all'amatriciana au restaurant La Loggia dans la ville médiévale de Narni en Ombrie (recette page 151). Le Farro, un blé dur, est un des ingrédients favoris d'Enzo Scosta, le propriétaire de La Loggia.

Piatto frescura, une salade classique et simple de tomates, mozzarella, laitue et anchois, au restaurant Giardina de l'hôtel Umbra à Assise.

culinaires. Il est l'heure de rôtir la saucisse et de réchauffer la frittata de légumes ou le ragoût de lapin (préparés par leurs femmes) dans un grand récipient en fer forgé où l'on garde la nourriture brûlante sur un foyer improvisé.

L'idyllique tranquillité actuelle de Todi est loin de refléter l'histoire violente de l'Ombrie. D'importance stratégique sur la route menant de Rome à l'Adriatique, l'Ombrie fut pendant des siècles un carrefour et un champ de bataille. Débutant avec les Étrusques, qu'imitèrent les Romains – eux-mêmes évincés à leur tour par les Goths et les Lombards –, carnages et pillages furent le lot habituel des Ombriens durant la plus grande partie du Moyen Âge. Ils choisirent alors de s'installer sur les hauteurs, et entourèrent leurs villes et leurs villages de murs fortifiés.

C'est à Spolète que je suis tombée amoureuse de l'Ombrie. Pendant plusieurs années, j'ai vécu et travaillé dans cette ville de collines, et mes visites à sa cathédrale ont éveillé mon intérêt pour l'œuvre de maîtres de la Renaissance tels que Fra Filippo Lippi, Perugin et Pinturicchio. À Spolète, j'ai eu mon premier contact avec la cuisine ombrienne : des stringozzi généreusement couverts de truffes noires et arrosés de quelques gouttes d'huile d'olive. Les stringozzi sont connus comme la pasta del povero, les pâtes du pauvre, car elles sont faites de farine non blutée et d'eau, et grossièrement coupée à la main. Le contraste entre les humbles pâtes et les odorantes truffes noires s'avère inoubliable.

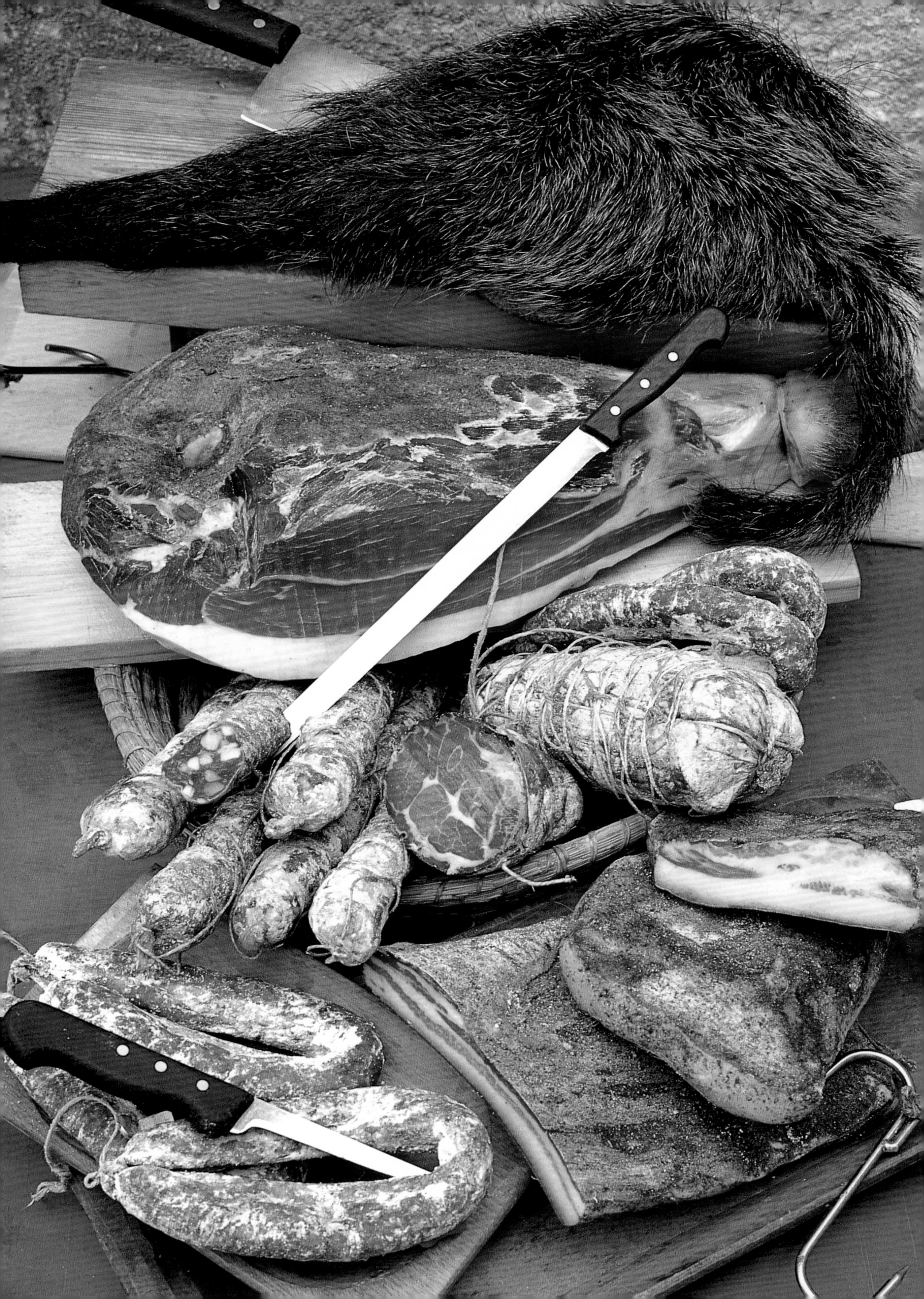

Les saisons les plus chargées dans le calendrier des fêtes ombriennes sont incontestablement le printemps et l'été, quand les produits du potager sont dominants dans le menu. Les tomates mûres sont réduites en purée ou séchées au soleil dans la perspective de l'hiver. Les oignons, les fines herbes, l'ail sont enfilés en guirlandes décoratives pour être pendus à côté du foyer. Les fruits et les baies sont cuits à feu doux pour donner des marmelades épaisses prêtes à être étendues sur la crostata – la tarte à la confiture qui se mange les jours de fête.

Dans le coin sud-est de l'Ombrie, se blottit la ville de Norcia, connue pour sa tradition d'élevage de porcs et de salaison de viande. Cette tradition remonte au Moyen Âge et elle a valu à Norcia d'être intimement associée à la réputation de la cuisine italienne. Ici s'entassent, dans une boutique sur deux, de savoureux et quelque peu salés jambon de montagne, de la pancetta, du guanciale alla norcina (lard maigre provenant de la bajoue), du salame et du salsicce (saucisson), tandis que des hures de sanglier sauvage pendent aux chevrons. Des quantités de haricots cannellini séchés, de lentilles, de châtaignes et de truffes noires remplissent les vitrines. Les gens de Norcia prennent la gastronomie fort au sérieux. Ils se font plaisir en organisant d'abondants et interminables repas, qui ne se conçoivent presque jamais sans la présence de la spécialité la plus raffinée et la plus coûteuse de Norcia : la truffe noire. On la sert écrasée en purée et étendue sur du pain grillé (crostini) ou râpée sur des tagliatelles à l'œuf (recette page 158), sur du pigeon rôti, ou encore sur la succulente truite de rivière locale. Au cours de la troisième semaine de février, les amoureux de la truffe et les marchands envahissent la petite ville pour célébrer le festival du tartufo et pour "flairer" les meilleurs achats d'"or noir" de Norcia.

Une spécialité plus abordable et populaire : la porchetta, le cochon de lait nourri de châtaignes et de glands, qui est devenu un spectacle familier des marchés en plein air et des fêtes locales. Des tranches de porcelet rôti, farcies d'herbes aromatiques de la montagne et d'ail, accompagnées d'une tranche de pain campagnard, sont vendues aux passants dans les échoppes plantées au bord des rues.

Bien que relativement peu d'Italiens aient visité Norcia, la seule mention de son nom évoque l'image du repas traditionnel de la Saint-Sylvestre : des lentilles et du cotechino, un saucisson de porc spécial (recette page 161). On prétend que les lentilles ressemblent à de petites pièces de monnaie et qu'elles symbolisent la prospérité durant l'année nouvelle.

La récolte des olives donne également lieu à des célébrations festives et apporte une touche de gaieté dans un hiver ici plutôt rude. Quand février touche à son terme, la ville de Spello se remplit des chants des cueilleurs d'olives, portant des branches d'olivier. Ils sont rejoints par les gens de la ville pour un festin où le vin chaud accompagne des côtelettes de porc et des saucisses grillées servies sur un lit de polenta dorée.

L'Ombrie produit du très bon vin, mais le sujet constitue un objet de querelle entre Toscans et Ombriens. Ces derniers trouvent en effet qu'en dépit de leur production limitée et de leur prétention moindre à une renommée internationale, le caractère bien marqué des vins produits sur les pentes d'Orvieto, de Torgiano et de Montefalco leur vaut d'être meilleurs que leurs équivalents toscans.

◂ *Des viandes séchées, fumées au restaurant Dal Francese à Norcia : du jambon de sanglier (en haut), du jambon cru (deuxième à partir du haut), du salame, de la lonza, et de la salsiccia secca (deuxième rang à partir du bas), et de la guanciale et de la pancetta (rang du bas, avec encore du salame).*

Prosciutto di agnello e dindo affumicato, du jambon d'agneau et de la dinde fumée, servis avec des champignons et des truffes râpées au restaurant Dal Francese à Norcia. Ce plat met en vedette le jambon et les truffes qui sont des spécialités de la ville.

Un paysage enneigé près d'Urbino, une ville surtout connue pour le règne du pittoresque duc Federico da Montefeltro qui en fit un centre voué aux arts, dans les premiers temps de la Renaissance italienne.

Quand la construction de ma maison sera achevée, ce sera mon tour d'organiser une fête – en l'honneur de tous ceux qui ont participé à sa restauration. Parés de leurs habits du dimanche, les ouvriers et leurs épouses s'installeront pour un repas de cinq services suivi de danses. La fête se tiendra probablement en automne, une fois les moissons rentrées et le temps devenu plus frais. Débutant par du salame et du jambon, le menu se poursuivra par des pâtes, des cèpes rôtis, du gibier et des saucisses, et se concluera par le gâteau torciglione en forme d'anguille, décoré de nageoires en amandes et d'yeux en cerises d'un rouge feu, un symbole de fertilité et de prospérité depuis l'époque étrusque.

Nadia Stancioff

Une légende raconte qu'un patricien romain, apprenant le bannissement d'un ami par l'Empereur, écrivit, en état de choc : "Quoi, dans les Marches ? Dans les Marches ?!" Aujourd'hui, cette région de l'Adriatique centrale demeure une énigme, même pour de nombreux Italiens, étant donné qu'on ne l'atteint que par des routes détournées depuis Rome et Florence ou qu'on la considère comme une simple halte sur la route des Abruzzes ou d'un sud plus lointain. L'absence d'autoroute est pourtant un bien, du moins si l'on est intéressé par les traditions culinaires anciennes. Sur la côte de l'Adriatique, les Marches possèdent des plages tranquilles, des villes plantées sur les collines, des montagnes et des plaines. La topographie se marque dans la tradition culinaire unique de la région reposant sur la nourriture des pêcheurs, des paysans, des aristocrates et des bergers. Les fermiers vivant au pied de collines aux courbes d'une douceur étonnante, préparent les frascarelli, une polenta à la farine que relèvent non seulement l'omniprésente tomate, mais parfois aussi du mosto cotto, du moût de raisin cuit, une recette figurant dans le traité culinaire d'Apicius. Derrière Urbino, lieu de naissance de Raphaël Sanzio, s'étend la Novafeltria, une zone montagneuse, où se rejoignent l'Ombrie, l'Émilie-Romagne et les Marches. Le dessert caractéristique de l'endroit se compose de tagliatelles, des pâtes légères roulées à la main parsemées de noix broyées, de cannelle, d'Alkermes (une liqueur rouge) et de chocolat amer, une tradition de la Renaissance qui a peu de risques d'être abandonnée.

Pesaro, ville natale de Rossini, est située non loin d'Urbino. Quand il cessa de composer des opéras, Rossini s'abandonna à une gourmandise passionnée, accroissant ainsi considérablement son tour de taille. "Je n'ai pleuré que deux fois dans ma vie, murmurait-il, la première fois, en entendant Paganini jouer du violon ; et la seconde, sur un bateau, quand une dinde truffée passa sous mes yeux par-dessus bord". Le violoncelliste favori de Rossini appartenait à la noble famille Vitali, d'Ascoli Piceno, la ville la plus méridionale des Marches, renommée pour sa place médiévale rectangulaire. Vitali resta un ami cher pour Rossini, car, chaque année, il lui envoyait des tonneaux d'olives locales. Le plat le plus caractéristique des Marches provient en effet de cette région : des olives farcies frites, servies avec des rectangles de crème anglaise frite. Vitali touchait une autre corde sensible de Rossini quand il complétait ses envois de truffes : c'est que les Marches ne manquent pas d'endroits qui portent ces tubercules hautement prisés. Beaucoup de recettes imaginées par Rossini exigent des quantités considérables de truffes : normal quand on sait que la campagne derrière sa ville natale en était... truffée. Chaque automne, la ville d'Acqualagna célèbre leur arrivée par un festival de la truffe.

Ancône, au sud de Pesaro, est renommée pour ses poissons et fruits de mer. À l'extérieur du marché de la ville, on trouve des étals où des dames expertes écaillent huîtres et truffes de mer. Les plus appréciés des fruits de mer, les balleri, mollusques de la famille des moules, se cachent dans la moindre infractuosité des roches de la côte. Sa passion pour ces mollusques d'une exquise délicatesse mettait un pape à l'agonie. Comment les pêcheurs d'Ancône allaient-ils à satisfaire le palais papal à une époque où n'existait pas encore la réfrigération ? Une nouvelle forme de sculpture naquit de la nécessité : des rochers parsemés de balleri étaient extraits du port, enveloppés dans des draps trempés d'eau de l'Adriatique, puis transportés sans dommage à travers les Apennins jusque dans les cuisines vaticanes. Comme les balleri constituent une espèce rare réclamant des mesures extrêmes pour sa conservation, leur commerce est aujourd'hui limité. Plusieurs restaurants d'Ancône proposent toutefois ce mets délicat.

Les eaux au large d'Ancône regorgeaient autrefois de poulpes. On raconta à ce propos une anecdote extraordinaire : quand le théâtre des muses, bâti en bois et datant du XVIIe siècle, partit en flammes, la lumière éblouissante donna lieu à une scène qui dépassait les imaginations les plus folles : des dizaines de milliers de poulpes grouillaient à la surface de l'eau, attirés par l'éclat du feu. Les habitants d'Ancône sautèrent allègrement dans leurs barques et, à mains nues, sortirent les poulpes de l'eau ! Aujourd'hui encore, le long de la côte, on prépare un ragoût fait de poulpe, de vin blanc, de verdure de betterave, de tomates fraîches et de fines herbes.

Durant le XVIe siècle, les commerçants albanais, slaves et arméniens naviguaient à travers l'Adriatique à partir de l'Empire ottoman, tout proche. Il en reste dans la région une trace culinaire : à Offida, un boulanger cuit et vend du chichí, une pizza fourrée de poivrons, d'artichauts, d'olives vertes, de thon et de câpres, semblable au lahmajiun, un plat arménien. Les viticulteurs des collines autour d'Offida et de Ripatransone produisent de vins rouges remarquables, dont la renommée croît régulièrement. Chaque été, Offida organise une foire du vin dans un cloître médiéval.

Un couple de fermiers dans son champ, près de Roncitelli dans les Marches.

Pendant que Napoléon s'escrimait à combattre Windischgrätz près d'Ancône, le général autrichien se faisait préparer des lasagnes par les cuisiniers du cru, aujourd'hui connues sous le nom de vincis-grassi. Un livre de cuisine publié dix ans avant l'arrivée du général appelle ces lasagnes princisgrassi, c'est-à-dire "de la graisse pour le prince", parce qu'elles étaient destinées d'une façon générale à donner force et vigueur aux princes anémiques. Confectionnées à l'aide d'une bonne douzaine de couches de pâte mince de tagliatelles roulée à la main, ces lasagnes sont fourrées de ris de veau (ou de champignons sauvages) et de viande, nappées d'une sauce tomate ou d'une béchamel légère, puis cuites dans un four de briques jusqu'à ce que leur surface soit dorée et croustillante. On les sert dans les trattorias de la région arrosées d'une autre spécialité des Marches méridionales : le vino cotto ou vin cuit. On réduit, en les faisant bouillir, deux litres de vin pour qu'il n'en reste qu'un seul, l'on accroît ainsi la teneur en alcool tout en transformant le bouquet du vin en celui d'un porto parfumé puisqu'on le laisse fermenter avec des coings avant de le mettre à décanter dans des tonnelets de chêne rouvre. La ville de Loro Piceno organise une fêteannuelle en l'honneur de son vino cotto.

À une époque où la cuisine moderne prend le pas sur la tradition, les habitants des Marches ont maintenu des pratiques ancestrales. Ils accomplissent des miracles avec un simple cochon, qui, jadis, nourrissait une famille entière toute l'année durant. Pas une partie n'en est gaspillée : salamis et saucisses sont assaisonnés d'une poudre aux cinq épices et d'écorce d'orange, le saindoux est mis en bouteille pour servir de graisse de cuisson, le jambon et le lard sont mis de côté ; même la peau est cuite et servie avec des pommes de terre bouillies écrasées en purée, et des herbes sauvages cueillies dans les jardins de la ferme. Les paysannes mettaient leur fierté dans leur linge blanc brodé à la main qu'elles lavaient avec du savon fabriqué maison. Pour ce dernier aussi, le cochon venait à la rescousse : tous les morceaux gras inutilisables étaient jetés dans un chaudron, avec de l'eau et de la soude caustique. On ajoutait des feuilles de laurier pour parfumer. La plus grande difficulté avait trait aux voisins : la superstition prétendait en effet qu'un coup d'œil envieux d'un voisin durant la confection du savon suffisait pour ruiner la préparation entière. C'est pourquoi, la mission était confiée aux femmes les plus âgées et les plus expérimentées, capables de mener à bien leur alchimie dans le secret le plus total.

Les voyageurs qui se rendent dans les Marches le feront bien sûr pour les sites historiques : Urbino, Pesaro, Recanati, Ascoli Piceno, et les Monti Sibillini. Mais le voyage d'un gourmet commencera dans les restaurants qui servent du gibier, pour se poursuivre chez les épiciers qui regorgent de salamis locaux et dans les innombrables trattorias des villages et du bord de mer, qui proposent des mets délicieux confectionnés avec une habileté artisanale bien caractéristique.

Beatrice Muzi

1. *Divers haricots secs utilisés dans la cuisine locale à Viterbe.*

2. *Le fritto misto au restaurant Cacciani à Frascati dans le Latium comporte des ris de veau, de la cervelle d'agneau, des fleurs de courgettes et des cèpes.*

3. *Un fermier devant sa vieille maison près de Pieve Torina, au sud de Camerino dans les Marches.*

4 *Crespelle all'Umbra, crêpes faites de jambon, de fromage et de champignons, à l'hôtel Umbra d'Assise.*

5 *Une femme avec son chat et une brouette remplie de verdure destinée à son lapin, près de San Clemente.*

6. *Tartufi di mare, truffes de mer, appelées pommes de terre de mer par certains, au restaurant Villa Amalia à Falconara Marittima.*

7. *Un étalage de fruits frais au marché du campo dei Fiori à Rome.*

8. *Une zuppa di balleri provenant de la cuisine de Lamberto Ridolfi et de sa mère, Amelia, la cuisinière, au restaurant Villa Amalia à Falconara Marittima.*

9. *Pollo alla diavola, poulet rôti avec de l'huile, du citron et beaucoup de poivre (d'où son nom), au restaurant Cacciani à Frascati.*

1

2

3

4

5

6

7

8

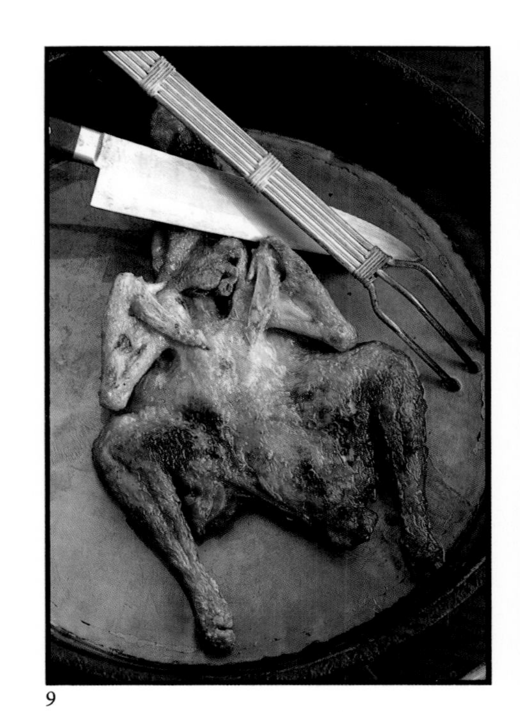

9

Zuppa di Cicoria con l'Uovo Soupe de chicorées aux œufs

À la façon de Giovanna Scappucci du restaurant Il Richiastro, Viterbe

Pour 4 personnes

1 kg de chicorées
1/2 oignon épluché et haché très fin
100 g de pancetta ou de lard, émincés
2 gousses d'ail épluchées et finement hachées
1 piment du Chili épépiné et haché très fin, ou 1/2 cuillerée à café d'éclats de piment rouge
1 cuillerée à soupe de menthe fraîche finement hachée
50 ml d'huile d'olive
500 g de tomates fraîches épépinées et coupées finement
1 cuillerée à café de sel
4 tranches de pain grillé
4 œufs

Nettoyez et élaguez les feuilles de chicorées, et brisez-les en morceaux de 5 cm. Dans une casserole de taille moyenne, faites sauter l'oignon, la pancetta, l'ail, le piment du Chili et la menthe dans l'huile, jusqu'à légère coloration. Ajoutez les tomates coupées finement et faites cuire 2 minutes. Ajoutez les morceaux de chicorée et du sel, remuez et cuisez 3 minutes encore. Ajoutez 1 l d'eau et laissez mijoter à peu près 1/2 heure.

Pour servir, disposez une tranche de pain grillé dans chacun des bols individuels, cassez un œuf en surface et versez ensuite par-dessus deux louches pleines de soupe très brûlante, pour imbiber le pain et cuire l'œuf.

Zuppa di cicoria con l'uovo au restaurant Il Richiastro à Viterbe.

Amatrice est une petite ville de montagne en Italie centrale. Monsieur Scosta a inventé ce plat pour assouvir sa passion du farro, un blé dur que l'on peut facilement remplacer par de l'orge.

Farro all'Amatriciana Farro à la mode d'Amatrice

À la façon d'Enzo Scosta du restaurant La Loggia, Narni

Pour 4 personnes

225 g d'orge
2 cuillerées à café de sel
50 ml d'huile d'olive
2 petits piments du Chili épépinés et hachés très finement, ou 1/2 cuillerée à café d'éclats de piment rouge
100 g de pancetta ou de lard, émincés
1 oignon moyen épluché et coupé en fines rondelles
100 ml de vin rouge
1 boîte de 450 g de tomates pelées, égouttées et hachées finement
50 g de fromage Romano fraîchement râpé

Effectuez une précuisson partielle de l'orge : placez-le dans une casserole avec 750 ml d'eau et le sel, portez à ébullition, couvrez et laissez mijoter pendant 45 minutes. Égouttez avant utilisation.

Faites chauffer l'huile dans une poêle à frire de taille moyenne et ajoutez les piments du Chili ; ajoutez ensuite la pancetta et l'oignon, et faites sauter jusqu'à ce que l'oignon soit ramolli. Versez le vin et faites-le réduire jusqu'à évaporation. Ajoutez les tomates hachées, ainsi que l'orge précuit égoutté.

Mijotez doucement pendant environ 30 minutes. Si nécessaire, ajoutez jusqu'à 250 ml d'eau pendant que le mélange mijote, afin d'éviter que l'orge ne devienne trop sec. Garnissez de fromage Romano râpé au moment de servir *(photographie page 142)*.

◂ *Piccione ripieno, un pigeon farci rôti, préparé par le chef Cecilioni du restaurant Degli Ulivi da Giorgio à Roncitelli.*

Dans les Marches et sur la côte de l'Adriatique, la soupe de poisson est connue sous le nom de brodetto. Sur ce littoral, le poisson est particulièrement succulent et plusieurs villes possèdent leurs propres versions du brodetto; les plus connues sont celles de Rimini, de Ravenne et d'Ancône.
Voici la recette de soupe de poisson telle qu'on l'exécute dans les environs d'Ancône. Elle repose sur la débrouillardise et l'imagination du cuisinier, supposé être capable de concevoir une merveille avec le poisson frais disponible. Le poisson utilisé pour réaliser le brodetto sera de deux ou trois variétés différentes. Servez cette soupe brûlante, avec des tranches de pain grillé (bruschetta, recette page 208).

Le brodetto prêt à être servi à l'hôtel Emilia à Portonovo di Ancona.

Brodetto Soupe de poisson

À la façon de l'hôtel Emilia, Portonovo di Ancona

Pour 4 personnes

Un assortiment de 450 g de filets de poisson (cabillaud, sole, etc.)
450 g de calmar nettoyé, dont on aura retiré le squelette et l'encre
1/2 oignon épluché et haché très fin
50 ml d'huile d'olive
1 cuillerée à café de sel
1/2 cuillerée à café de poivre
1/2 cuillerée à café de safran en poudre, dissous dans 1 cuillerée à soupe d'eau
225 ml de vin blanc sec

Coupez les filets de poisson en bandes de 5 cm. Coupez le calmar en rondelles de 0,5 cm. Faites sauter l'oignon haché finement dans l'huile d'olive, ajoutez ensuite le calmar, assaisonnez de sel et de poivre, et ajoutez le safran. Cuisez durant environ 45 minutes à feu doux. Puis ajoutez le restant du poisson en couches, avec les espèces les plus délicates au-dessus, et versez le vin. Cuisez jusqu'à réduire le vin de moitié, et ajoutez ensuite 500 ml d'eau. Mijotez doucement pendant environ 10 minutes, puis goûtez et rectifiez l'assaisonnement avant de servir.

◂ *Les ingrédients pour un brodetto à l'hôtel Emilia à Portonovo di Ancona*

Bucatini all'Amatriciana Bucatini à la mode d'Amatrice

À la façon de la famille Cacciani du restaurant Cacciani, Frascati

Pour 4 personnes

1 oignon épluché et haché très fin
50 ml d'huile d'olive
200 g de pancetta ou de lard, émincés
1 gousse d'ail épluchée et hachée
100 ml de vin blanc
Une boîte de 800 g de tomates pelées, hachées finement, avec leur jus
Sel
1 petit piment épépiné et haché, ou 1/4 de cuillerée à café d'éclats de piment
450 g de pâtes, bucatini ou perciatelli
100 g de pecorino râpé, ainsi qu'un supplément pour la garniture
1 cuillerée à soupe de feuilles de basilic frais rincées et hachées finement (facultatif)

Faites sauter l'oignon haché dans l'huile dans une grande casserole, jusqu'à ce qu'il soit doré. Ajoutez la pancetta et l'ail, et poursuivez la cuisson durant environ 5 minutes. Versez le vin et cuisez jusqu'à son évaporation, ajoutez ensuite les tomates et leur jus, le piment et le sel. Mijotez 30 minutes.

Cuisez les pâtes *al dente* dans une grande quantité d'eau bouillante salée. Égouttez-la et, dans un plat de service, mélangez-la à la sauce, au fromage et à l'éventuel basilic. Servez avec un supplément de fromage râpé.

Ingrédients du bucatini all'amatriciana au restaurant Cacciani à Frascati.

Zuppa di cozze e zucchini, cuite et prête à être servie à la Villa Amalia.

Zuppa di Cozze e Zucchini Soupe aux moules et aux courgettes

À la façon d'Amelia Ceccarelli de la Villa Amalia, Falconara Marittima

Pour 6 personnes

1 kg 800 de moules dans leurs coquilles
1 oignon moyen épluché et coupé en fines rondelles
100 ml d'huile d'olive extra-vierge
1 gousse d'ail hachée finement
1 petit piment du Chili épépiné et haché très finement, ou 1/4 de cuillerée à café d'éclats de piment rouge
6 câpres hachés finement
1 poivron rouge en lamelles
1 poivron jaune en lamelles
150 ml de vin blanc sec
300 g de tomates mûres fraîches, ou 1 boîte de 450 g de tomates pelées, égouttées et coupées finement
Une pincée de sucre (facultatif)
500 g de courgettes lavés, nettoyés et coupés en dés
1 cuillerée à soupe de feuilles de basilic frais, rincées et hachées finement
1 pointe de zeste de citron râpé
1 cuillerée à café de sel
100 ml de lait
2 cuillerées à soupe de persil haché très fin

Lavez et nettoyez les moules très soigneusement.
Dans une grande casserole, cuisez l'oignon dans l'huile jusqu'à ce qu'il soit ramolli, puis ajoutez l'ail, le piment du Chili, les câpres et les poivrons. Cuisez 5 minutes. Versez le vin et mijotez jusqu'à évaporation de celui-ci ; ajoutez ensuite les tomates et le sucre si vous le souhaitez, et cuisez encore 10 minutes.

Dans une casserole séparée, jetez les courgettes dans de l'eau bouillante salée et remuez; dès que l'eau se remet à bouillir, égouttez. Ajoutez les courgettes, le basilic et le zeste de citron aux autres ingrédients, poursuivez la cuisson pendant quelques minutes, et assaisonnez de sel. Pour finir, ajoutez le lait et les moules, couvrez et cuisez pendant 10 minutes supplémentaires. (Certaines personnes préfèrent cuire les moules séparément. Si c'est votre cas, placez-les dans une casserole à feu vif et couvrez. Cuisez durant quelques minutes, jusqu'à ouverture des coquilles. Égouttez les moules et ajoutez-les aux légumes.)

Retirez la majorité des moules de leurs coquilles, pour qu'elles soient plus aisées à manger, n'en laissant que quelques-unes dans leurs coquilles comme décoration. Saupoudrez de persil, et servez.

Zuppa di Castagna Soupe de châtaignes

À la façon de Giovanna Scappucci du restaurant Il Richiastro, Viterbe

Pour 4 personnes

300 g de châtaignes sèches
2 gousses d'ail épluchées et hachées finement
25 ml d'huile d'olive
1 petit piment du Chili épépiné et haché très finement, ou 1/4 de cuillerée à café d'éclats de piment rouge
1 cuillerée à café de sel

Laissez tremper les châtaignes sèches dans de l'eau toute une nuit. Égouttez-les et rincez-les le lendemain, en retirant toute pellicule restante. Placez les châtaignes dans une casserole, couvrez de 2 l d'eau, et cuisez à feu doux pendant 1 heure.

Réalisez une base de soffritto en faisant sauter l'ail haché et le piment dans l'huile, dans une poêle à frire, durant 1 ou 2 minutes. Versez le soffritto dans la casserole contenant les châtaignes, pour aromatiser ; poursuivez la cuisson pendant quelques minutes. Utilisez un fouet métallique pour réduire les châtaignes en morceaux. Poursuivez la cuisson pendant quelques minutes, assaisonnez ensuite, et servez (photographie page 137).

Les ingrédients de la zuppa di cozze e zucchini au restaurant Villa Amalia à Falconara Marittima. ▸

Stringozzi all'Oliva Pâtes à la sauce d'olives noires

À la façon de M. et Mme Laudenzi du restaurant Giardina, Assise

Pour 4 personnes

La pâte :

275 g de farine tous usages
1 blanc d'œuf
110 ml d'eau
Une pincée de sel
30 ml d'huile d'olive

La sauce :

450 g de champignons frais, ou de champignons de couche
1 gousse d'ail épluchée et hachée très finement
45 ml d'huile d'olive
300 g d'olives noires dénoyautées
1 bouquet de persil haché fin
60 g de beurre
1 petit piment du Chili épépiné et haché très finement, ou 1/4 de cuillerée à café d'éclats de piment rouge
Sel
100 ml de crème
50 g de parmesan fraîchement râpé

La préparation traditionnelle des stringozzi au restaurant Giardina de M. et Mme Laudenzi à l'hôtel Umbra d'Assise.

Préparez la pâte à l'aide des ingrédients énumérés ci-dessus, en suivant les instructions de la page 247. Travaillez-la convenablement jusqu'à ce qu'elle devienne belle et ferme ; lorsqu'elle est prête, étendez-la au rouleau en lui donnant une épaisseur double de l'épaisseur habituelle (le quart de la dernière épaisseur sur une machine), et coupez-la comme des tagliatelles. On peut également utiliser 500 g de cavatelli ou de tagliatelles du commerce.

Pour réaliser la sauce, nettoyez et rincez soigneusement les champignons, et coupez-les en tranches épaisses. Dans une poêle à frire, faites sauter l'ail avec l'huile d'olive. Ajoutez les champignons et remuez. Faites sauter durant 5 minutes environ, puis mélangez les champignons sautés avec les olives et le persil, dans un robot de cuisine.

Cuisez les pâtes dans une grande quantité d'eau bouillante salée, jusqu'à ce qu'elles soient *al dente* (1 à 2 minutes seulement si vous les avez fabriquées fraîches). Faites fondre le beurre dans une grande poêle à frire, ajoutez le mélange olives/champignons, cuisez pendant 5 minutes environ avec le piment du Chili et salez à volonté. Mélangez la crème pour terminer.

Égouttez les stringozzi et mélangez-les à la sauce et au parmesan avant de servir.

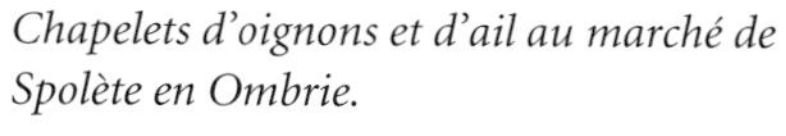

Chapelets d'oignons et d'ail au marché de Spolète en Ombrie.

◂ *Les ingrédients des stringozzi all'oliva prêts à être assemblés, au restaurant Giardina à Assise.*

Une portion de tagliatelles con funghi e tartufo au Dal Francese à Norcia.

En Ombrie, les truffes sont noires et proviennent de la Valnerina, proche de Norcia et de Spolète. Scheggino en est le principal marché. D'octobre à mars, des chiens spécialement entraînés dénichent ces truffes noires, qui n'égalent toutefois pas, tant en saveur qu'en parfum, les truffes blanches du Piémont. Vittorio Battilocchi conserve les truffes noires dans des boîtes et les emballe sous vide, pour qu'elles gardent toute leur saveur. Il utilise des rognures de truffe dans tout – pâtes, œufs, viandes –, presque comme du persil. Il en est même arrivé à fabriquer sa propre gelato al tartufo, avec l'aide d'un glacier local.

Tagliatelle con Funghi e Tartufo

Pâtes à la sauce de champignons et aux truffes

À la façon de Vittorio Battilocchi de la Trattoria Dal Francese, Norcia

Pour 4 personnes

60 g de beurre
450 g de champignons frais, ou de champignons de couche, coupés en tranches pas trop fines
500 g de tagliatelles, fraîches ou sèches
50 g de parmesan fraîchement râpé
Lait (facultatif)
Truffe noire

Faites fondre le beurre dans une grande casserole et faites-y sauter les champignons à feu moyen, jusqu'à ce qu'ils soient complètement cuits et que la majorité de leur jus se soit évaporée.

Cuisez les tagliatelles dans une grande quantité d'eau bouillante salée, jusqu'à ce qu'elles soient *al dente*. Égouttez les pâtes et transférez-les dans la casserole des champignons. Ajoutez le fromage et mélangez vivement, avec un mouvement d'avant en arrière. Ajoutez un peu de lait si vous désirez davantage de sauce – mais pas de beurre supplémentaire, qui rendrait le plat trop riche.

Servez avec la truffe râpée par-dessus.

Ce plat très rapide est si courant dans la Ville éternelle qu'il est pratiquement synonyme de Rome. Son nom, saltimbocca alla romana, signifie littéralement, "saut dans la bouche, à la mode romaine". Même si l'on peut utiliser ici de la sauge sèche, la fraîche est vivement recommandée.

Saltimbocca alla romana prête à être dégustée au Da Severino à Rome.

Saltimbocca alla Romana Tranches de veau au jambon

À la façon de M. et Mme Severino Severini du Da Severino, Rome

Pour 4 personnes

8 escalopes de veau d'à peu près 100 g
100 g de jambon coupé en 8 tranches, avec la couenne enlevée
8 feuilles de sauge fraîche, ou 1 cuillerée à café de sauge sèche
80 g de farine
90 g de beurre
Sel et poivre
250 ml de vin blanc sec (facultatif)

Martelez doucement les tranches de veau pour leur donner une épaisseur régulière. Posez une tranche de jambon et une feuille de sauge sur chaque tranche de veau, puis piquez les à l'aide d'un cure-dent, que vous ferez passer à travers la viande. (Si vous utilisez de la sauge sèche, vous saupoudrerez chaque tranche de veau d'une pointe de sauge, après cuisson). Vous pouvez également rouler chaque tranche de veau avec le jambon et la sauge à l'intérieur, et fixer le tout avec un cure-dent. Saupoudrez chaque tranche d'un peu de farine.

Dans une grande poêle à frire, cuisez le veau doucement à feu moyen, dans 60 g du beurre, jusqu'à ce que toutes les tranches soient bien uniformément dorées (approximativement 2 minutes par face). Ajoutez sel et poivre. Vous pouvez, si vous le désirez, verser le vin dans la poêle et augmenter la chaleur, pour réduire le vin rapidement.

Retirez le veau de la poêle et disposez-le sur un plat de service chauffé. Mettez les 30 g de beurre restants dans la poêle, à feu doux, remuez et raclez le fond et les bords de la poêle pour ramasser tous les morceaux détachés. Versez le tout sur la saltimbocca et servez (photographies au bas de la page 160 et page 136).

Servez ce ragoût de veau accompagné de légumes tels que des endives sautées à l'ail et au romarin, des oignons aigres-doux ou des cèpes sautées à l'ail et au persil (recette page 28).

Pasticciata alla Pesarese Veau rôti, à la mode de Pesaro

À la façon de Maurizio Cecilioni du restaurant Degli Ulivi da Giorgio, Roncitelli

Pour 6 personnes

900 g de rouelle de veau
30 g de farine
50 ml d'huile d'olive
1 gros oignon épluché et haché fin
1 carotte épluchée et hachée finement
1 branche de céleri élaguée et coupée finement
2 gousses d'ail épluchées et hachées très finement
Aromates : une pincée de graines de fenouil, 2 feuilles de sauge (ou une pincée de sauge sèche), un rameau de romarin (ou une pincée de romarin sec), une feuille de laurier
1 cuillerée à soupe de sel
2 cuillerées à café de poivre
Une bouteille (750 ml) de vin blanc sec
1,5 l de bouillon de viande
1/2 cuillerée à soupe de concentré de tomate
4 tomates pelées en boîte, hachées finement, avec leur jus

Pasticciata alla pesarese au restaurant Degli Ulivi da Giorgio à Roncitelli.

Tapotez la viande pour la sécher et saupoudrez-la de farine. Faites-la rapidement dorer sur toutes ses faces dans 2 cuillerées à soupe d'huile d'olive, dans une poêle à frire très chaude, pour éviter que le jus ne s'échappe.

Dans une très grande marmite, faites sauter oignon, carotte et céleri avec l'ail haché et les aromates dans les 2 cuillerées à soupe d'huile restantes, jusqu'à ce que le tout soit doré. Ajoutez la viande, assaisonnez de deux cuillerées à café de sel et d'une de poivre, versez le vin et mijotez à feu moyen jusqu'à ce que le liquide soit réduit à quelque 100 ml. Ajoutez le bouillon et couvrez partiellement la marmite.

Mijotez pendant 2 heures 1/2 à feu moyen, en retournant la viande toutes les 1/2 heures. Ajoutez encore du bouillon si nécessaire.

Quand la viande est tendre lorsque vous la piquez à l'aide d'une fourchette, retirez-la de la marmite, ainsi que les tiges des herbes aromatiques et la feuille de laurier, et mélangez tous les légumes et le liquide dans un robot de cuisine ou un mixer, pour obtenir une sauce épaisse. Remettez la sauce dans la marmite et ajoutez le concentré de tomate, les tomates hachées, une bonne pincée de sel et une pincée de poivre, et prolongez la cuisson durant environ 15 minutes. La sauce devra avoir une consistance assez épaisse : vous pouvez souhaiter rectifier l'assaisonnement une fois encore. Découpez le veau en tranches et réchauffez celles-ci dans la sauce pour servir.

Les lentilles que produit le petit village de montagne de Castelluccio, sont considérées comme les meilleures d'Italie. Elles sont minuscules, brunes et extrêmement délicates. Lorsqu'elles sont en fleur, la vallée où elles poussent, baigne dans une atmosphère bleu pâle, brumeuse. Les saucisses de cette recette sont une spécialité de Norcia, mais n'importe quelle sorte de saucisse peut être employée, cela dépendra des préférences du cuisinier.

Les ingrédients pour les salsicce con lenticchie (saucisses aux lentilles), avant préparation, au Dal Francese à Norcia.

Salsicce con Lenticchie Saucisses aux lentilles

À la façon de Vittorio Battilocchi de la Trattoria Dal Francese, Norcia

Pour 4 personnes

300 g de lentilles brunes
60 g de pancetta, émincée
30 ml d'huile d'olive
1 petit oignon épluché et haché très fin
2 branches de céleri élaguées et coupées finement
2 gousses d'ail épluchées et hachées très finement
Un chapelet de 900 g de saucisses italiennes fraîches
2 cuillerées à café de sel
1 cuillerée à café de poivre

Couvrez les lentilles d'eau et mettez-les à tremper dans un bol pendant 1 heure. Dans une grande casserole, faites sauter la pancetta dans l'huile d'olive à feu doux pendant 5 minutes. Ajoutez l'oignon et le céleri, et cuisez jusqu'à ce que les légumes soient ramollis. Ajoutez l'ail et cuisez encore 2 minutes. Égouttez les lentilles, ajoutez-les aux ingrédients dans la casserole, et faites-les sauter une minute. Couvrez-les ensuite de 750 ml d'eau fraîche. Mijotez durant environ 20 minutes, en ajoutant un peu d'eau si les lentilles deviennent trop sèches.

Pendant que les lentilles cuisent, faites frire les saucisses entières dans une autre casserole, jusqu'à ce qu'elles soient cuites en profondeur.

Environ 5 minutes avant la fin de la cuisson des lentilles, assaisonnez-les. Servez les saucisses avec les lentilles, comme plat d'accompagnement.

Un berger avec son troupeau descendant dans la vallée pour se rendre à la laiterie près de Castelluccio dans les Monti Sibillini.

Les salsicce con lenticchie, spécialité de Vittorio Battilocchi, comme elles sont servies au restaurant Dal Francese, à Norcia.

À Norcia, en Ombrie, on place des cerises et du sucre ensemble dans un bocal et on les laisse au soleil pour qu'ils se mélangent harmonieusement.

Brustengolo Gâteau à la farine de maïs

À la façon de M. et Mme Laudenzi du restaurant Giardina, Assise

Pour 6 personnes

2 pommes Granny Smith épluchées, débarrassées de leur cœur et coupées en tranches
2 cuillerées à soupe de jus de citron frais
400 g de sucre
400 g de beurre, fondu, ainsi qu'un supplément pour la préparation du moule
400 g de farine de maïs, ainsi qu'un supplément pour la préparation du moule
1 1/2 cuillerée à café de levure chimique
4 œufs
60 g de pignons grossièrement pilés, grillés au four
60 g de noix grossièrement écrasées
2 cuillerées à soupe de raisins secs dorés, hachés grossièrement et trempés dans 2 cuillerées à soupe d'anisette ou de Pernod
1 cuillerée à café de zeste de citron râpé

Préchauffez le four à 175° C.
Placez les tranches de pomme dans un bol et aspergez-les du jus de citron.

Mélangez, à l'aide d'une cuiller en bois, le sucre et le beurre fondu dans un grand bol, incorporez ensuite la farine et la levure chimique. Battez les œufs jusqu'à ce que le mélange soit onctueux, puis ajoutez les pignons, les noix, les raisins secs, la liqueur et le zeste de citron râpé. Pour finir, ajoutez les tranches de pomme égouttées à la pâte et mélangez en remuant soigneusement.

Graissez, à l'aide du beurre prévu à cet effet, un moule à pâtisserie démontable de 22 cm de diamètre, saupoudrez-le de farine, et versez-y la pâte à gâteau. Cuisez au four pendant environ une heure.

Lorsque le gâteau est cuit, retirez-le du four et laissez-le refroidir à température ambiante, dans le moule, avant de servir.

Un paysage fort vallonné près de Sassoferrato, au nord-ouest de Fabriano, dans les Marches.

Un choix de gâteaux locaux au restaurant Giardina de l'hôtel Umbra à Assise, avec de haut en bas : grigliata Umbra (gâteau de fruits secs), brustengolo (gâteau de pommes) et grigliata di ricotta (gâteau à la ricotta). ▸

VII. *Abruzzes / Campanie / Calabre*

J'ai réussi un jour à rendre un homme amoureux de moi en lui racontant que j'avais grandi en me nourrissant de fleurs et de sang : de fleurs de courge et de boudin. Je savais que cette juxtaposition lui plairait : il y a du lyrisme dans l'alimentation italienne, et particulièrement dans l'alimentation du sud, à la fois terre à terre et romantique, délicate et forte (la tête d'agneau et le romarin, le foie de porc et la feuille de laurier, les truffes et les haricots).

Federico Secondo (Frédéric II) – fauconnier, astronome, croisé, hérétique – gouverna au XIIIe siècle ce qui est aujourd'hui l'Abruzzo/Molise. La poésie de la cuisine de l'Italie méridionale est aussi réelle que celle qui habite ses châteaux et ses ruines romaines ; c'est la poésie de l'Adriatique, et de la Méditerranée, et des montagnes sauvages et accueillantes des Apennins.

Dans les récits folkloriques originaires des Abruzzes – la région d'Italie qui couvre tout le sud-est de la péninsule à partir de Rome, une partie du Mezzogiorno belle et âpre à la fois –, l'alimentation est le langage de l'amour : un fils de roi, coupant en tranches une fraîche ricotta, perd une goutte de sang sur cette blancheur immaculée, et il prononce (dans une histoire racontée par Italo Calvino) ces mots significatifs : "Maman, je voudrais une femme blanche comme le lait et rouge comme le sang... Lait-blanc et sang-rouge". Et, avec obligeance, une belle jeune fille de la blancheur du lait jaillit d'une grenade.

Le Jourdain, nous dit-on dans une autre histoire, a une faiblesse pour les gâteaux en forme d'anneau, "qu'il aimait faire tournoyer dans ses tourbillons". Ma grand-mère confectionnait des gâteaux en forme d'anneau dans sa cuisine (le centre et le cœur de la vie familiale) ; on les appelait tiralles. Durs et simples, ils étaient appréciés pour leur forme astucieuse : ils ressemblent aux serpents enroulés que vénéraient les anciennes peuplades Marses des Abruzzes. Ma grand-mère confectionnait aussi des ferratelle – de minces biscuits couverts de dessins, cuits dans une sorte de fer à gaufre (avec un motif différent de chaque côté) – et, pour Noël, un dessert pyramidal répondant au nom de cicerchiata, des boules creuses maintenues ensemble grâce à du miel et saupoudrées de minuscules perles de sucre coloré.

◂ Les ingrédients et le processus de fabrication des maccheroni alla chitarra, à l'hôtel Villa Santa Maria, dans la ville du même nom. C'est le mode de réalisation traditionnel des pâtes dans les Abruzzes. La pâte est placée par-dessus l'emporte-pièce – qui peut être "réglé" comme une guitare (chitarra) pour différentes largeurs de pâtes – et elle est ensuite pressée à l'aide d'un rouleau à pâtisserie.

◂ PAGES PRÉCÉDENTES
Le village médiéval de Pacentro dans les collines surplombant Sulmone, lieu de naissance du poète latin Ovide.

Un détail du chapiteau d'une colonne de l'église du XIIe siècle de San Leonardo, une localité située à proximité de la ville de Manfredonia sur le massif du Gargano, un immense plateau calcaire qui se dresse juste au-dessus du "talon" de l'Italie, en Molise du sud, dans la région des Pouilles.

Les gâteaux d'ici sont faits de ricotta de montagne, un fromage si riche qu'il est souvent servi comme dessert, saupoudré de chocolat ou couvert de mûres écrasées, de myrtilles, ou bien de framboises bien mûres.

La mozzarella des Abruzzes, un fromage extraordinaire, est fabriquée à partir du lait des buffles qui broutent les herbes aromatiques de la montagne, le trèfle, le thym..., comme le font également les heureux moutons qui fournissent le lait du pecorino, et les vaches celui de la scamorza, un fromage souvent servi in carrozza – frit entre des tranches de pain de blé. Chaque laiterie locale fabrique sa propre variante des fromages classiques des Abruzzes... qui est un pays de contrastes. On n'est donc pas surpris d'en voir les habitants prendre un égal et authentique plaisir à manger des saucisses et des desserts.

"Une femme est toujours occupée à acheter quelque chose", écrivait Ovide, le poète de Sulmone ; et, à Sulmone, il faut absolument acheter le torrone (du nougat aux amandes et au miel ou au chocolat et aux noisettes) et des confetti... Dickens avait été formidablement séduit par les confetti qui pleuvaient des balcons, à Rome, lors du carnaval... Les magasins de sucreries de Sulmone sont de vrais jardins enchantés : confetti en forme de petits bouquets de fleurs ; cerises rouges comme des lèvres que l'on mord avec amour ; gerbes de blé ; tournesols ; grappes de raisins jaunes, bleues, oranges, pourpres, roses, toutes faites d'amandes sucrées attachées les unes aux autres et couvertes de cellophane de couleur...

Et l'on passe de la contemplation de cette beauté sucrée à la table du dîner, où l'on dévore une robuste pasta e fagioli, des macaronis avec des pois chiches baignant dans une sauce épaissie de haricots, de quoi assurer la transition de la poésie à la prose...

L'Aquila, la capitale des Abruzzes, est située dans une cuvette entourée des montagnes d'un bleu pourpre du Gran Sasso, les pics les plus hauts des Apennins. Chaque matin, dans la pâle lumière dorée de l'aube, des camions argentés se rangent sur la plantureuse piazza del Duomo ; ils contiennent de grands fours alimentés au bois, où seront rôtis, sur d'énormes broches, des cochons de lait entiers parfumés au romarin – le festin rêvé. Des chapelets de saucisses au foie, sucrées au miel ou épicées aux piments du Chili, alternent avec de la mortadelle – un saucisson composé de viande de porc maigre, avec un cœur de graisse –, qui se vend par paires.

Les Italiens croient que le foie est la partie du corps humain la plus exposée aux maladies physiques ; et c'est peut-être pour cette raison qu'ils placent une grande confiance dans l'efficacité des foies d'animaux, considérant le foie de porc comme le remède spécifique contre le rhumatisme, le lumbago, la puberté et les sautes d'humeur. Taillé en forme de croissant et enveloppé dans une crépine de membrane blanche, il est d'une finesse surprenante.

Un heureux tenancier d'auberge à Ladispoli, dans la banlieue de Rome, me dit un jour que les meilleurs chefs d'Italie viennent de Chieti, expliquant cela par la persistance dans leur mémoire gastronomique du parfum à la fois doux et épicé des remises des Abruzzes – là où l'on suspendait, pour les faire sécher, les saucisses en vessie, cuites à moitié et farcies de pommes.

Le visage d'une sympathique vieille femme, "aussi rude que la région", près de Pietraferrazzana en Molise.

Peperoni in padella au restaurant Santa Maria de Villa Santa Maria, près de Chieti dans les Abruzzes. Pour la préparation, lavez et nettoyez simplement les poivrons rouges, coupez-les en lamelles, et faites-les sauter à l'huile d'olive dans une poêle couverte, à feu moyen pendant environ 20 minutes, en remuant de temps en temps. ▸

Un déjeuner dominical en famille, al fresco, bien à l'ombre sous la tonnelle, près de Mignano Monte Lungo, en Campanie.

Un groupe de parents et d'amis à la terrasse d'un bar à Lentiscosa, près du golfe de Policastro, en Campanie.

Chieti, à l'humble et néanmoins délicieuse cuisine, se trouve sur la mer. Fort normalement c'est de la mer que viennent ses principales richesses culinaires : calmar poivré in purgatorio, mulet grillé, soupe de poisson à chair blanche, scungilli (un gros escargot de mer, dont la chair douce et caoutchouteuse transforme miraculeusement de la sauce tomate en un jus d'une incroyable richesse), et le baccalà – la morue salée qu'on dessale dans plusieurs eaux avant qu'elle ne communique sa forte saveur à la sauce tomate.

L'action bienfaitrice des embruns serait l'une des raisons du goût incomparable des légumes à Chieti et sur toute la côte environnante – scarole, colza de brocoli, poivrons rouges et jaunes (qui, rôtis et servis avec de l'ail et de l'huile, ou mêlés à des œufs sur le plat, ou encore cuits en ragoût avec du veau, sont plus doux en Italie méridionale que n'importe où dans le monde). La douceur de l'herbe de la montagne est la raison que l'on invoque le plus fréquemment pour expliquer la succulence de la chair des animaux.

Les habitants des Abruzzes ne se soucient pas de ses explications et chaque cité célèbre un produit local dont il est fier. Toute ville qui a une spécialité gastronomique ou agronomique (et c'est pratiquement le cas de chaque ville),

Alici marinate, des anchois frais marinés dans du vinaigre et du sel, puis servis, avec une sauce faite de citron, d'huile, de vinaigre, de piments forts, de persil, d'oignon, d'origan et d'ail, par Alfonso, dans son restaurant de Praiano sur la côte amalfitaine. Cette préparation diffère des habituels anchois à l'huile ou mis dans la saumure. Les anchois sont très délicats et fort difficiles à trouver car, tout comme les sardines fraîches, on ne les capture qu'à la lune décroissante.

a aussi son festival – un festival de la fraise ; un festival de l'agneau ; un festival des lentilles et des saucisses. Il existe un festival des fèves, qu'on sert souvent avec de la marjolaine et parfois avec de la menthe, dont les personnes pieuses croient qu'elle est l'herbe de Marie, qui en eut besoin pour calmer ses maux d'estomac à la mort de Jésus. Il existe aussi un festival de la châtaigne : on prépare une pizza con le foglie, une tarte à la farine de maïs que l'on cuit dans un four brûlant, sous un lit de feuilles de châtaignes, et sur laquelle on verse un bouillon de pieds, d'oreilles et de museaux de porc, de pommes de terre, de tomates et d'ail, en même temps que des légumes verts bouillis. Il y a les festivals des pignons, de la truite, de l'écrevisse, des poulets, du castrato – mouton tendre – et du porc... La peau, ou couenne, du porc est farcie de pignons, de raisins secs, de persil et d'ail, et placée dans de la sauce tomate...

Il y a encore un festival des truffes. Les truffes blanches et les truffes noires sont courantes dans les Apennins du sud ; de même que les cèpes. Il n'y a pas d'époque plus heureuse en Italie que la saison où truffes et cèpes coexistent. Avec les oignons et le pecorino, ils confèrent une saveur somptueuse au risotto.

Il pousse également du riz dans les Abruzzes ; mais les pâtes de blé dur, sec et frais, constitue l'aliment le plus étroitement associé au sud. La région est réputée pour ses spaghetti alla chitarra, fabriqués sur un instrument de bois et de fil ressemblant à une guitare (et cet instrument, comme une guitare toujours, peut être réglé pour produire différentes tailles et textures de pâtes). Les spaghettis sont particulièrement bons quand ils sont servis avec de fins morceaux d'agneau plongés dans une sauce à l'ail. J'ai dégusté ce plat en Molise, le district sud des Abruzzes, qui a été constitué en entité administrative séparée en 1963, mais qui peut difficilement être distingué des Abruzzes pour tout ce qui touche à l'alimentation, à la culture ou à la géographie ; les spaghetti étaient précédés d'anchois marinés, de coquillages et de calmars froids, et suivis d'asperges et d'épinards dans un mélange de citron et d'huile d'olive.

"Les olives me nourrissent", disait Horace. Je repense à ces paroles quand je suis en Molise, à Venafro, la ville de ma grand-mère, qu'Horace aimait passionnément. L'huile de première pression, de couleur vert pâle, constitue pratiquement un plat en soi.

Il y a dans les Abruzzes et en Molise une fête appelée panarda, "qui recommence", écrit l'historien de l'alimentation Gian Gaspare Napolitano, "alors qu'elle paraît terminée... Une avalanche de nourriture". Organisée pour n'importe quelle bonne ou mauvaise raison, ou même sans raison véritable, "elle a survécu aux famines, aux ravages des invasions et à la guerre".

Ce qui ne vous tue pas, vous engraisse, disent les Italiens.

Un jour, dans la ville d'Avezzano, j'ai assisté à une fête de première communion qui dura 6 heures ; ma mémoire sélective me permet de me rappeler le melon (sculpté pour ressembler à des fleurs) accompagné de jambon ; les stracciatelle dans un bouillon de dinde ; les lasagnes à la béchamel et à la sauce de viande ; les spaghettis aux

Alfonso met en conserve ses propres capperi, des câpres, avec leurs feuilles, fraîchement cueillis sur les collines au-dessus de sa maison, Il les conserve dans du gros sel pendant au moins vingt jours, puis il les lave, en les laissant tremper dans du vinaigre, et les garde dans des bocaux avec de l'huile d'olive. Il sert ses capperi et leurs feuilles, marinés avec de l'ail et des piments très secs, comme hors-d'œuvre, accompagné de tomates et de pain.

coquillages ; la friture de poisson ; la caille accompagnée de pommes de terre rôties au four avec du romarin ; la salade de chicorée ; les épinards à l'huile d'olive ; les fruits et les fromages ; la glace ; un cake au chocolat fort dense et glacé au sucre blanc ; les sandwiches ouverts garnis de beurre, de noix et de truffes ; les feuilletés à la crème, teintés de rose, de vert et de jaune pâle pour ressembler à des pêches, et remplis de liqueur de pêche, avec des "noyaux" en chocolat et des tiges vertes confites. Quand j'exprimai mon incrédulité, mon hôte me répliqua : "Credete e amate, mangia in pace" ("Croyez et aimez, mangez en paix").

La Molise est désigné comme une "région d'Italie quelque peu rustaude". Dans la petite ville de Pietrabbondante, j'ai assisté à la représentation d'une pièce de Genet dans un ancien amphithéâtre romain, et mangé des tagliatelles aux cèpes, que l'on a du mal à considéré comme un plat de rustres. À Isernia, la capitale de la Molise, j'ai mangé du risotto avec une sauce au poisson à base de tomate, et des têtes de chevreau cuites au four dans des bols de terre cuite avec de l'huile, du vin blanc sec, du persil, du lait de brebis, du fromage et du jaune d'œuf. De la polenta mêlée à des haricots rouges parfumés de pecorino, d'oignons et de paprika, voilà un plat campagnard aussi exquis qu'il est simple. Et cela vaut également pour les cavatelli au colza de brocoli. Le colza de brocoli ressemble à un croisement entre des fanes de navet et de brocoli, mais il n'a le goût ni des unes ni de l'autre. Il possède une légère, mais pas désagréable, saveur amère, astringente, qui se marie bien avec l'"épaisseur" des nouilles, dans lesquelles les dents s'enfoncent de façon presque obscène. Que dire des petites seiches grillées, du calmar émincé, des crabes des sables, des crevettes, des palourdes, des moules, cuits dans une sauce tomate avec des piments et des clous de girofle, du basilic et de l'huile d'olive; des perdrix ; des pigeons farcis ; du sanglier sauvage. Et tout cela arrosé d'un bon vin blanc – le Trebbiano – et d'un noble vin rouge, le Montepulciano d'Abruzzo.

La première fois que je me suis rendue en Abruzzes/Molise, je suis rentrée chez moi avec un seul regret : je n'avais pas emporté les liqueurs, digestivi et amaro, les boissons qui précèdent et suivent le dîner, courantes ici, mais qu'il est difficile de se procurer en dehors de la région, la plus célèbre étant le Centerbe – une centaine de fines herbes –, un véritable feu vert pâle. J'aime la Doppio Arancia (double-orange) et l'amaro Maiella (miel). Par-dessus tout, j'aime la douce et sirupeuse liqueur brune fabriquée dans la petite ville de Cocullo, où, chaque année, le premier jeudi de mai, les hommes et les garçons du village grimpent dans les collines à la recherche de serpents qu'ils offrent, dans l'espoir d'une immunité, à saint Dominique, qui protège des morsures de serpent, de la rage et des maux de dent. J'aime cet amaro, au goût proche d'une célèbre boisson au cola mais qui serait alcoolisée, et dont l'étiquette figure des serpents enroulés autour d'une église.

Le vin portant le nom le plus beau, le Lacrima Christi, est lui originaire de Campanie, le croissant de terre entourant la baie de Naples, une région de lumière claire, kaléidoscopique, de vignobles en terrasses, de citrons et d'oranges, de maisons aux tons pastel, et de routes défiant la mort, à vous couper le souffle, qui grimpent toujours plus haut dans un monde de fleurs et de soleil. Lacrima Christi signifie "larmes du Christ". Dans cette région, la beauté

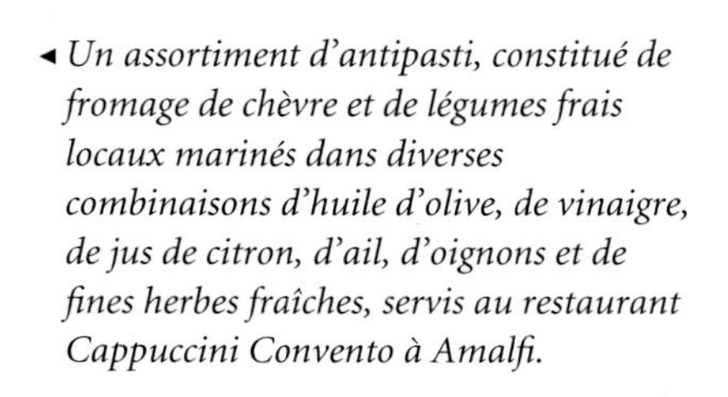

◂ *Un assortiment d'antipasti, constitué de fromage de chèvre et de légumes frais locaux marinés dans diverses combinaisons d'huile d'olive, de vinaigre, de jus de citron, d'ail, d'oignons et de fines herbes fraîches, servis au restaurant Cappuccini Convento à Amalfi.*

Une femme enceinte tenant une courge sur la tête .

croît en même temps que le danger, et le danger paraît sans importance, tant est grande la beauté. Voyez les fleurs d'amandier et les sirènes de Capri, les volcans, et cette merveilleuse mer Méditerranée, aussi formidablement belle que Naples est formidablement dégradée, décadente, corrompue et triste. Tout ici est beau et tout ici est triste.

Les Napolitains ont inventé la pizza. Ils ont inventé les pâtes aussi. Les macaronis sont mentionnés dans le Décaméron de Boccace. Aucun Italien ne veut croire aujourd'hui que Marco Polo a importé les macaronis de Chine. La sauce blanche à la palourde et la sauce rouge à la palourde de Naples et aux tomates, sont renommées à juste titre. La tomate, sans laquelle il est impossible d'imaginer la cuisine italienne, vient d'Amérique, après un détour par l'Espagne. Il est étonnant de constater que les macaronis ont précédé la sauce tomate. Il existe d'anciennes gravures montrant des Napolitains qui se promènent en mangeant des bâtons de pâtes gluantes !

J'ai savouré quelques-uns des plus mémorables repas de ma vie en Campanie : à Sorrente, sous un parasol de fleurs d'oranger dominant la mer (on atteint celle-ci par un escalier remontant à l'époque étrusque, taillé dans les proches falaises), j'ai mangé des côtelettes de veau grillées avec du basilic et du beurre ; dans la petite ville bien douillette de Sant'Agnello, j'ai dégusté des arancini – des boulettes de riz panées et frites, farcies de viande hachée et épicée, de raisins secs et de pignons (recette des arancini de Sicile en page 244) ; et j'ai mangé des fritures de poisson comprenant de petits anchois, des calmars et des scampi. Et j'ai encore mangé des courgettes frites dans de l'huile d'olive, arrosées de quelques gouttes de vinaigre destinées à les adoucir – avec du pain de campagne, un doux provolone frit, de minces tranches de jambons et des reines-claudes, dans la maison d'un ami sise au milieu d'un jardin clos parsemé de citronniers en fleurs, sur une terrasse au-dessus de laquelle un petit train – le Circumvesuviana – se frayait laborieusement un chemin entre Sorrente et Naples, pareil à un train dans un rêve d'enfant.

J'ai mangé des fleurs de courge jaunes frites trempées dans une pâte faite de farine et d'œufs.

J'ai bu de l'orzata – le lait d'amandes broyées qui ressemble à du lait de perles – dans les jardins publics de Capri, les faraglioni, ces rochers en surplomb, offrant un refuge qui semblent autant appartenir à l'inconscient qu'à la mer, nous rappelant avec insistance un paradis trouvé... perdu... retrouvé...

J'ai mangé des penne arrabbiata (arrabbiata veut dire en colère) à Amalfi, dont la sauce tomatée contient suffisamment de piment rouge pour vous débarrasser d'un rhume à tout jamais. Une nourriture gorgée de soleil, relevée de câpres et d'olives, de fenouil et de thym.

Près de Massa Lubrense, le pivot de la péninsule de Sorrente, à l'entrée de la route d'Amalfi, se trouve la petite localité de Santa Maria Annunziata, qu'aimait tant Graham Greene. Un membre de la famille Gonzague se marie ici, dans une église d'un jaune butyreux, sur un belvédère qui domine la mer violette striée d'opale. Un des Gonzague fut pape ; Mantegna en peignit un autre, un duc. (Je suis franchement étonnée d'avoir été invitée à cette noce, qui me donne l'impression d'être comme une note en bas de page dans l'histoire... J'avais rencontré la future belle-sœur de la mariée dans un train). Lors de la réception, aux flonflons d'un orchestre banal, nous mangeons des plats paysans

Pizza Margherita, une préparation classique et toute simple, faite de mozzarella, de sauce tomate, de basilic et d'huile d'olive sur une croûte de pizza, vendue dans la rue devant la Pizza Antica da Michele à Naples.

Des capocolli, des saucissons, au marché d'Amantea, sur la côte tyrrhénienne, en Calabre.

Un étal de fruits frais au marché Lavinai à Naples, au mois de juin. ▸

LIRE
695
500 GRAMMI
695
LIRE
3999
500 GR:
LIRE
1000
500 GR.
ANNURCHE
495
LIRE
1600
LIRE
3000
500 GR:
LIRE
2000
500 GR.
LIRE
1200
1000
1200
500
1200
500

Vue de Pietraferrazzana, avec le Lago del Sangro à l'arrière-plan.

La Bottarga (aussi appelée ovotarica en Calabre) : il s'agit d'œufs de thon ou de muge séchés et compressés, servis avec du citron, des noix, des olives noires et de l'arugula, au restaurant Alia de Castrovillari.

Paniers utilisés pour l'égouttage du fromage au marché d'Amantea en Calabre.

– pieds de porc, calzoni (sacs de pâte fourré de fromage), avec du vin rouge des pentes du Vésuve. Nous avons ensuite droit à des sfogliatelle, de la pâte feuilletée en forme de coquillage, farcie de fromage sucré hérissé de gouttes de chocolat, et nous buvons un champagne millésimé. Capri scintille à courte distance. L'air est imprégné de jasmin.

À Ravello, le point le plus élevé de la route d'Amalfi, je mange chaque nuit dans un restaurant où chacun connaît votre nom. Netta, la propriétaire et cuisinière, ne manque jamais l'occasion de débiter une flopée de potins quand elle vous sert ses tagliatelles et leur petite courge, ses crêpes de polenta fourrées de parmesan et de jambon, ses fusilli avec des tomates fraîches bien mûres et du basilic, son beefsteak à l'ail et au citron, et encore son amaro ambré parsemé de zeste de citron amer.

Le jour de la fête patronale de ma fille, Netta nous donne une bouteille de son vin fait maison et un groupe de citrons dans un panier de feuilles. Les citrons parfument notre voiture pendant tout notre trajet vers la Calabre...

Là, à Bagnara, sur la mer Tyrrhénienne, nous mangeons de l'espadon de l'Arctique venu frayer dans ces eaux qu'étreint le soleil. La méthode utilisée pour s'emparer de ces espadons ne diffère pas d'un iota de la façon dont on les attrapait déjà avant la naissance du Christ : les harponneurs attendent sur des planches qui ont deux fois la longueur de leurs curieux bateaux. Ils attendent le cri d'avertissement du guetteur qui scrute la mer depuis une plate-forme entourée d'une cage, au sommet d'un mât d'acier haut de 12 m. Ils seront harponnés et hissés dans le bateau, puis transportés au marché par des femmes – ainsi le veut le rituel – qui supporteront sur leurs têtes ces kilos de chair glissante, et leurs redoutables épées tranchantes devenues inoffensives.

Mon grand-père paternel était né dans une masure qui faisait autrefois partie des dépendances d'un pavillon de chasse de Federico Secondo, dans une petite ville du nom d'Oriolo, dans les montagnes qui surplombent de fort haut la mer Ionienne, de l'autre côté de la péninsule qui sépare celle-ci de la mer Tyrrhénienne. En cet endroit, les tables du moindre restaurant regorgent de pommes de terre mêlées à du fromage de chèvre découpé en petits morceaux, de tomates séchées au soleil et d'origan, de chou et de haricots cannellini, de frittata accompagnée de riz froid, de pâtes au thon, aux olives, aux anchois et au piment rouge, de figues pourpres et de figues blanches. Nous sirotons une eau gazeuse faiblement citronnée.

À la nuit, ma fille se défoule en dansant dans une discothèque installée dans un château en ruine sur la mer, un château bâti par Federico.

C'est cela la nourriture du soleil.

Barbara Grizzuti Harrison

Femmes au lavoir d'un village d'Italie du sud, un spectacle que l'on peut observer sur cette terre ancienne depuis des milliers d'années.

Des genêts dans une pittoresque vallée des environs de Castrovillari en Calabre.

La Via Sacra menant au temple de Neptune dans l'ancienne cité de Paestum, en Campanie. Ce temple, dont on sait maintenant qu'il était en fait dédié à la déesse Héra, est l'un des temples grecs les mieux conservés d'Europe.

Le résultat final des fazzoletti verdi, "mouchoirs verts", à l'hôtel Villa Santa Maria .

Fazzoletti Verdi Lasagnes "mouchoirs verts"

À la façon de la famille De Marco de l'hôtel Villa Santa Maria

Pour 10 personnes (3 ou 4 fazzoletti par portion)

La pâte :

450 g d'épinards frais, lavés et élagués
450 g de farine
3 œufs
1 cuillerée à café de sel

La farce :

900 g de fromage ricotta
3 jaunes d'œufs
2 cuillerées à café de sel
200 g de jambon cuit coupé en dés (dés de 0,5 cm)
150 g de fromage mozzarella râpé
1 pincée de noix muscade râpée
125 g de parmesan fraîchement râpé
2 cuillerées à soupe de persil haché fin

La sauce :

1,2 l de sauce tomate (triplez la recette de la page 218)
1,2 l de sauce béchamel (5 fois la recette de la page 126)
125 g de parmesan fraîchement râpé
30 g de beurre fondu, et un supplément pour préparer le plat à four

Faites bouillir les épinards dans de l'eau salée, égouttez-les, laissez-les refroidir, exprimez-en toute l'eau et hachez-les finement.

Fabriquez la pâte à l'aide des ingrédients énumérés ici, en suivant les instructions de la page 247. Ajoutez les épinards hachés et salez après avoir battu les œufs, puis pétrissez la pâte. Laissez reposer pendant environ 15 minutes. Étendez la pâte au rouleau, rendez-la la plus mince possible et coupez-la à l'emporte-pièce en carrés d'à peu près 20 cm. Mettez les carrés de côté.

Préparez la farce : dans un bol, mélangez la ricotta aux jaunes d'œufs. Assaisonnez de sel et ajoutez ensuite le reste des ingrédients destinés à la farce. Mélangez le tout soigneusement.

Cuisez les carrés de pâte dans une grande quantité d'eau bouillante salée, durant quelques minutes, plusieurs fazzoletti à la fois. Égouttez-les convenablement.

Préchauffez le four à 175° C.

Mettez quelques cuillerées de la farce sur chaque carré de pâte, et pliez ensuite le carré de coin à coin, pour former un triangle. Beurrez le fond d'un très grand plat à four, versez-y un peu des sauces tomate et béchamel, et disposez les fazzoletti en couches dans le plat, en remettant à chaque fois des sauces tomate et béchamel et en saupoudrant de parmesan entre chaque couche. Versez le beurre fondu sur le dessus. Cuisez 45 minutes, ou jusqu'à ce que le dessus soit parfaitement doré. Servez très chaud.

Une Calabraise transportant ses produits sur la tête au marché d'Amantea.

De vieux oliviers dans un champ de coquelicots près de Porto di Vasto dans les Abruzzes.

Des buffles qui se prélassent dans le village de Torre Lupara, près de Capoue en Campanie. Leur lait est utilisé pour fabriquer la meilleure mozzarella.

olio
vergine di oliva

Le nom de cette préparation traditionnelle de poisson et de pâtes originaire de Naples, révèle que le linguine est cuit dans le style du restaurant, "Cosa Nostra" mais il joue aussi sur le terme cosa nostra, *qui fait référence à la mafia calabraise. Les polipetti sont une variété de petites pieuvres, extrêmement tendres et succulentes.*

Fruits de mer cuits utilisés dans le linguine cosa nostra du Don Salvatore à Naples.

Linguine "Cosa Nostra" Linguine maison

À la façon de M. Aversano du Don Salvatore, Naples

Pour 6 personnes

2 gousses d'ail épluchées et broyées finement
80 ml d'huile d'olive extra-vierge
450 g de tomates fraîches épépinées et coupées finement
Sel
700 g de linguine
250 g de polipetti coupés en morceaux
Court-bouillon ou eau
6 crevettes géantes décortiquées
250 g de coquillages assortis (palourdes, moules)
6 grosses crevettes décortiquées
Du persil haché fin en suffisance

Faites sauter l'ail dans 3 cuillerées à soupe d'huile d'olive. Ajoutez les tomates, assaisonnez de sel et cuisez durant 10 minutes.

Pendant ce temps, cuisez les linguine dans une grande quantité d'eau bouillante salée, jusqu'à ce qu'ils soient al dente. Égouttez alors les pâtes et remettez-les dans la marmite.

Dans une autre casserole, chauffez l'huile d'olive restante jusqu'à ce qu'elle grésille, ajoutez les morceaux de polipetti, et cuisez durant 3 minutes, jusqu'à ce qu'ils rendent leur liquide et virent à l'opaque. Ajoutez la pieuvre et son liquide aux tomates, avec environ 150 ml d'eau ou de court-bouillon, si vous en disposez. Disposez les crevettes géantes dans la casserole de telle manière que les tomates les recouvrent, et ajoutez les palourdes. Les moules et les grosses crevettes seront ajoutées 2 minutes plus tard, juste avant de servir.

Retournez les crevettes pour assurer une cuisson uniforme, et couvrez la casserole pendant les 2 dernières minutes, afin que la vapeur ouvre les coquillages. Ajoutez la moitié de la sauce aux pâtes et mélangez le tout soigneusement. Mettez ce mélange dans un grand plat de service, avec le poisson restant et la sauce. Parsemez généreusement de persil et servez.

Coquillages frais en vente au marché Lavinai à Naples.

◂ *Un étalage de tous les ingrédients du linguine cosa nostra avant cuisson, au Don Salvatore à Naples.*

La seconde étape de la préparation de la minestra di verdure e pesce au restaurant Alia .

Minestra di Verdure e Pesce Soupe de poisson et de légumes

À la façon de Pinuccio et Gaetano Alia au restaurant Alia, Castrovillari

Pour 4 personnes

20 crevettes géantes fraîches entières
1 tige de céleri moyenne
1 carotte moyenne épluchée et
2 carottes coupées finement
1 cuillerée à soupe de feuilles de basilic frais rincées et hachées finement
1 pincée de graines de fenouil
1 cuillerée à café de thym frais
1 cuillerée à soupe de persil haché fin
450 g de tomates fraîches épépinées et coupées finement
50 ml d'huile d'olive
1 cœur de céleri coupé en dés
2 pommes de terre en tranches fines
2 courgettes coupées finement
Sel et poivre
4 cuillerées à soupe de fleurs de courgettes (facultatif)

Enlevez les têtes et les queues des crevettes. Dans une casserole de taille moyenne, faites un bouillon en utilisant les têtes, les queues, la tige de céleri, la carotte entière, la moitié du basilic, le fenouil, le thym et le persil, ainsi que 600 ml d'eau (si les crevettes ne sont pas vendues avec leurs têtes, utilisez alors les queues et les carapaces pour le bouillon). Laissez mijoter pendant 45 minutes, puis filtrez.

Quand le bouillon est presque prêt, faites sauter les tomates dans une grande poêle à frire avec l'huile, ajoutez ensuite les carottes coupées, le cœur de céleri, les pommes de terre et les courgettes. Assaisonnez de sel et de poivre, et portez à ébullition. Ajoutez 450 ml du bouillon de crevettes filtré, couvrez et laissez mijoter. Une fois les légumes attendris, ajoutez les crevettes et les fleurs de courgettes si vous le souhaitez, et cuisez encore 5 minutes. Garnissez avec le reste du basilic, du fenouil, du thym et du persil, et servez accompagné de bruschetta.

Totani in Salsa di Peperoni e Cipolla

Petit calmar aux poivrons et à la sauce aux oignons

À la façon de Pinuccio et Gaetano Alia au restaurant Alia, Castrovillari

Pour 4 personnes

4 échalotes épluchées et hachées très finement
60 ml d'huile d'olive
1 poivron vert coupé en dés
1 poivron jaune coupé en dés
1 poivron rouge coupé en dés
225 g de tomates fraîches épépinées et coupées finement
450 g de totani ou de petit calmar, nettoyés et coupés en rondelles de 0,5 cm
Du sel

Faites sauter les échalotes dans 2 cuillerées à soupe d'huile d'olive, ajoutez ensuite tous les poivrons et laissez mijoter pendant quelques minutes. Ajoutez les tomates et faites mijoter 10 minutes.

Puis, dans une autre casserole, cuisez les totani dans le reste d'huile d'olive pendant quelques minutes, jusqu'à ce qu'ils rendent leur liquide. Égouttez.

Ajoutez les totani aux légumes et assaisonnez de sel. Cuisez environ 10 minutes, et servez très chaud.

Totani in salsa di peperoni e cipolla cuisant sur le fourneau de Gaetano au restaurant Alia.

Ingrédients de la minestra di verdure e pesce au restaurant Alia à Castrovillari. ▸

OLIO
DI OLIV

Pinuccio Alia, le manager du restaurant Alia dans le petit village calabrais de Castrovillari, et son frère Gaetano, qui règne en maître à la cuisine, sont tout à la dévotion de la cucina di mamma, la cuisine calabraise familiale traditionnelle, mise simplement au goût du jour. Les frères Alia conseillent de servir cette salade de poisson le lendemain de sa réalisation, et de la servir comme hors-d'œuvre, ou entre une entrée et un solide plat de viande.

Insalata di Baccalà Crudo Salade de morue crue

À la façon de Pinuccio et Gaetano Alia au restaurant Alia, Castrovillari

Pour 4 personnes

675 g de morue fraîche
Le jus d'un citron frais
60 ml d'huile d'olive
1 cuillerée à café de poivre de Cayenne
6 ou 7 cuillerées à soupe de feuilles de basilic frais hachées finement
6 ou 7 cuillerées à soupe de feuilles de menthe fraîche rincées et hachées finement
1 oignon moyennement gros, épluché et haché fin
Sel et poivre

Coupez la morue en tranches d'à peu près 1 cm d'épaisseur, en suivant l'épine dorsale. Disposez les tranches dans un plat. Versez le jus de citron sur le poisson, et laissez 30 minutes au réfrigérateur. Ensuite, versez l'huile sur le poisson, saupoudrez de poivre de Cayenne et laissez mariner pendant 10 minutes. Répandez le basilic, la menthe et l'oignon. Retournez le poisson 2 ou 3 fois, à 20 minutes d'intervalle, puis mettez-le à reposer au réfrigérateur toute une nuit. Assaisonnez de sel et de poivre avant de servir.

Cageots de baccalà, morue salée, au marché d'Amantea, sur la côte tyrrhénienne de la Calabre.

Voici un soufflé qu'on servira en entrée dès sa sortie du four.

Flan di Zucchini Soufflé aux courgettes

À la façon de Pinuccio et Gaetano Alia au restaurant Alia, Castrovillari

Pour 6 personnes

3 grosses courgettes rincées et émincées
4 œufs, dont on aura séparé les blancs des jaunes
60 g de parmesan râpé
1 pointe de noix muscade râpée
1 cuillerée à café de sel
50 g de beurre

Préchauffez le four à 175° C.
Faites blanchir les courgettes dans de l'eau bouillante salée pendant 1 minute. Égouttez-les et réduisez-les en purée, soit au mixer, soit au presse-purée. Égouttez à nouveau. Dans un grand bol, battez les jaunes d'œufs avec le parmesan et la noix muscade, et incorporez les courgettes et le sel au mélange.

Dans un autre bol, battez les blancs d'œufs en neige ferme ; incorporez-les au mélange de courgettes.

Graissez à l'aide du beurre 6 ramequins individuels ou un plat à four, remplissez-les du mélange de courgettes, et cuisez au four pendant environ 25 minutes, ou jusqu'à l'obtention d'un soufflé bien croustillant.

◂ Les ingrédients et le résultat final de l'insalata di baccalà crudo au restaurant Alia à Castrovillari.

Brodetto di pesce (recette à droite) prêt à être servi au Il Corsaro, accompagné de bruschetta, pain grillé trempé dans de l'huile d'olive et frotté à l'ail (recette page 208).

On peut recommander le pain aillé et grillé (bruschetta, recette page 208) comme accompagnement, c'est d'ailleurs le cas pour la plupart des soupes de poisson en Italie.

Servez la soupe de poisson que voici brûlante et accompagnée de tranches de pain à l'ail grillées (bruschetta, recette page 208).

Brodetto di Pesce alla Donna Lina

Soupe de poisson de Lina

À la façon de M. et Mme Crisci du restaurant Il Corsaro, Porto di Vasto

Pour 4 personnes

125 ml d'huile d'olive
2 gousses d'ail épluchées et broyées
6 ou 7 cuillerées à soupe de persil haché
1 boîte de tomates pelées de 500 g, coupées grossièrement, avec leur jus
1 poivron vert coupé en dés
900 g de filets de poissons assortis (rouget, morue et d'autres poissons du même genre), coupés en morceaux
Sel
Poivre de Cayenne

Versez l'huile dans une grande casserole, ajoutez l'ail et le persil broyés et faites sauter légèrement ; ajoutez ensuite les tomates en morceaux avec leur jus et le poivron vert, et cuisez durant environ 10 minutes.

Versez une couche de cette sauce tomate dans le fond d'une grande marmite, et disposez les morceaux de poisson en couches dans la marmite, en fonction de leurs temps de cuisson respectifs, en plaçant le poisson le plus délicat au-dessus. Versez le restant de la sauce tomate, salez à volonté, couvrez et laissez mijoter à feu doux pendant une demi-heure. Servez la soupe accompagnée de bruschetta et saupoudrez à volonté de poivre de Cayenne.

Sardine alle Scapece Sardines à la sauce piquante

À la façon du restaurant Alfonso a Mare, Praiano

Pour 4 personnes

900 g de sardines fraîches nettoyées (vidées, têtes et épines dorsales ôtées ; pesées après nettoyage)
2 cuillerées à soupe de jus de citron frais
Sel
150 ml de vinaigre
80 g de farine
50 ml d'huile d'olive, ainsi qu'un supplément pour la garniture
2 oignons moyens, épluchés et coupés en rondelles épaisses
1 bouquet de feuilles de menthe fraîche rincées et hachées finement, ainsi qu'un supplément pour la garniture
6 gousses d'ail épluchées et broyées finement
1 piment du Chili épépiné et finement haché

Faites tremper les sardines dans un bol peu profond où vous aurez mis le jus de citron, une pincée de sel et de l'eau pour les couvrir, pendant environ une demi-heure, ce qui aura pour effet d'éliminer leur goût prononcé. Lavez-les et séchez-les bien, ensuite couvrez-les d'une couche de farine.

Cuisez les sardines à feu moyen dans une grande poêle à frire, dans 2 cuillerées à soupe d'huile d'olive, 2 minutes environ par face. Quand elles sont cuites, égouttez-les sur du papier absorbant et saupoudrez-les de sel.

Faites sauter les rondelles d'oignon dans le restant de l'huile d'olive. Quand elles sont à peu près à moitié cuites, ajoutez prudemment le vinaigre et cuisez jusqu'à ce qu'il se soit presque totalement évaporé. Ajoutez la menthe, l'ail et le piment du Chili hachés, et poursuivez la cuisson jusqu'à ce que les oignons soient tendres.

Disposez les sardines dans un plat de service et couvrez-les de la sauce à l'oignon. Laissez-les reposer au réfrigérateur pendant à peu près une demi-journée avant de servir. Ajoutez un peu de menthe fraîche et d'huile d'olive au moment de servir les sardines.

Un étalage d'ingrédients du brodetto di pesce (recette en haut à droite). Au nombre des spécialités locales présentées ici au Il Corsaro, on peut distinguer du colin, des rougets, des grondins, de la rascasse, du merlan, des petits calmars, de la cigale de mer et des langoustines, mais pratiquement n'importe quel poisson disponible peut être utilisé. ►

M. Esposito, le pâtissier du Cappuccini Convento à Amalfi, affirme que la pastiera est encore meilleure si on la consomme le lendemain de sa confection (dans ce cas, on la gardera toute la nuit au réfrigérateur).

Pastiera Gâteau de Pâques napolitain

À la façon de M. Aiello du restaurant Cappuccini Convento, Amalfi

Pour 8 personnes

La pâte brisée :

225 g de farine blanche
100 g de sucre
100 g de beurre, plus un supplément pour le moule à pâtisserie
3 jaunes d'œufs
1 œuf entier
1 cuillerée à soupe de zeste de citron ou d'orange râpé
Une pincée de sel

La farce :

450 g de ricotta
120 g + 30 g de sucre
1 pincée de cannelle, plus 1 pincée pour le lait
3 œufs
5 cuillerées à soupe de zeste d'orange ou d'un autre agrume confit
2 cuillerées à soupe de jus de citron
1/2 cuillerée à café de zeste de citron râpé
60 ml de rhum, ou 1 cuillerée à café de vanille
1/2 litre de lait
100 g de pâtes, vermicelli ou capellini
Une pincée de sel
Du sucre glace pour décorer

Pour réaliser la pâte brisée, tamisez la farine et dressez-en un monticule sur votre plan de travail ou dans un grand bol. Ajoutez 100 g de sucre, puis creusez un puits dans le monticule de farine et ajoutez le beurre ramolli. Battez légèrement les jaunes d'œufs et l'œuf entier ensemble, et versez-les dans le puits.

Continuez à battre les œufs à la fourchette, en y incorporant progressivement les ingrédients secs. Ajoutez le zeste de citron ou d'orange râpé et une pincée de sel, et travaillez le tout jusqu'à ce que les ingrédients forment une pâte butyreuse et légère. Façonnez-la en une boule, enveloppez-la dans une feuille de plastique et mettez-la au réfrigérateur pendant environ 30 minutes.

Préchauffez le four à 200° C.

Pour la farce, mettez la ricotta dans un grand bol et battez-la jusqu'à ce qu'elle soit onctueuse. Ajoutez 120 g de sucre, incorporez les 3 jaunes d'œufs, un à la fois et remuez jusqu'à obtention d'un mélange parfaitement homogène. Ajoutez une pincée de cannelle, le zeste confit, le jus de citron, le zeste de citron râpé et le rhum. Dans un bol séparé, battez en neige ferme 2 blancs d'œufs avec 1 cuillerée à soupe de sucre, et incorporez-les au mélange ricotta/œuf.

Faites bouillir le lait dans une petite casserole et jetez-y les pâtes. Faites cuire à feu doux avec une pincée de sel, une pincée de cannelle et 1 cuillerée à soupe de sucre, jusqu'à ce que tout le lait ait été absorbé. Laissez refroidir. Enfin, incorporez les pâtes cuites dans le mélange ricotta/œuf.

Saupoudrez votre zone de travail de farine et étendez au rouleau les 2/3 de la pâte en un disque de 30 cm. Placez ce disque dans le fond d'un moule à gâteau ou d'un moule à pâtisserie démontable de 25 cm, que vous aurez beurré au préalable ; répartissez soigneusement la pâte dans le fond du moule et sur tout son pourtour, et percez-la quelques fois au moyen d'une fourchette. Versez le mélange ricotta/œuf. Farinez à nouveau la surface de travail et étendez au rouleau le reste de la pasta frolla, coupez-la en longues bandes minces et disposez celles-ci en croisillons sur le dessus de la pastiera. Badigeonnez au pinceau avec un peu du troisième blanc d'œuf légèrement battu.

Réduisez la chaleur du four à 190° C et cuisez le gâteau pendant 1 heure, jusqu'à ce que les croisillons du haut soient joliment grillés et parfaitement cuits. Laissez refroidir avant de servir. Saupoudrez de sucre glace.

Une vue classique d'Amalfi, depuis le restaurant Cappuccini Convento, dans les collines surplombant la ville.

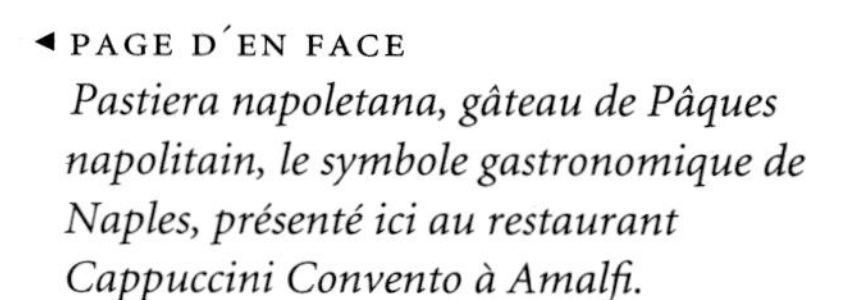

◂ PAGE D´EN FACE
Pastiera napoletana, gâteau de Pâques napolitain, le symbole gastronomique de Naples, présenté ici au restaurant Cappuccini Convento à Amalfi.

La même vue d'Amalfi, depuis la terrasse du restaurant Cappuccini Convento, mais cette fois-ci la nuit.

Francesca Fiori façonnant des orecchiette avec sa fille dans la vieille ville de Bari.

Salsiccia sott'olio piccante, une saucisse conservé dans de l'huile, servie accompagné d'olives et de pain au restaurant Da Mario à Matera. Les saucisses et les saucissons constituent un trait distinctif de la cuisine de la Basilicate.

Plateaux de pâtes fraîches au restaurant Panoramico à Castro Marina, dans le bas du "talon" de l'Italie, dans les Pouilles : des orecchiette, couramment fabriqués dans cette région, des maccheroncini et des raviolis.

◄ PAGES PRÉCÉDENTES
La ville d'Atena Lucana domine la vallée, à proximité de la frontière entre la Campanie et la Basilicate.

VIII. *Pouilles / Basilicate*

C'EST POUR MOI UN RÉEL PLAISIR de vous parler des Pouilles (la Puglia en Italien), mon pays, qui se situe au bord sud-est de la péninsule italienne, une terre tout à la fois aride et belle, bordée par la paisible mer Ionienne et par l'Adriatique bien plus animée. J'aimerais aussi vous dire un mot des Pugliesi, ce peuple tenace voué à la terre et à la mer, au commerce et à l'agriculture. Et vous parler aussi de la Basilicate, recluse à l'intérieur de ses hautes frontières comme la Belle au bois dormant attendant son prince. Nous emprunterons une route qui unit arômes, saveurs et humeurs ; de ce voyage, j'espère, vous retirerez une meilleure compréhension de l'âme de l'Italien méridional.

L'Apulie (dont le nom remonte à l'Antiquité) devint un état en 1043. Aujourd'hui, ses 19 400 km^2 sont peuplés d'environ 4 millions d'habitants. Le paysage est tantôt plat, tantôt vallonné, mais rarement montagneux. Les habitants des Pouilles sont en communion intime avec leur terre, comme ils le montrent dans leurs traditions. La cuisine s'inscrit dans cette union, et la sauvegarde de certaines coutumes culinaires est ici aussi importante que la conservation des sites, des monuments et des œuvres d'art.

Cette région aride, en particulier les zones de collines et de cultures, semble conserver ses coutumes jusqu'au sein des fissures d'une terre desséchée, dans les anfractuosités de rochers brûlés par le soleil, et au cœur des écorces fêlées d'arbres tordus, battus par l'implacable vent du nord-ouest, capable de faire ployer même l'indomptable olivier, condamné à se courber sous ses coups de butoir.

Les olives et l'huile d'olive ont toujours constitué la richesse des Pouilles. L'huile provient d'un grand nombre de producteurs répartis dans toute la région ; elle offre plusieurs niveaux de qualité, mais est toujours claire et abondante. La fabrication d'huile sainte destinée aux lampes servant à remercier d'une guérison, ainsi qu'aux bougies allumées pour les âmes du purgatoire, a toujours accompagné celle de l'huile d'olive jeune, verte et piquante, dont la première pression est saluée par des chants et des danses. Des fêtes célèbrent aussi la moisson du blé, quand les gerbes sont liées et placées sous les arches des grandes portes des fermes, pour apporter fertilité et prospérité aux habitants des lieux.

L'huile et le blé, principales productions de cette région, se situent au début et à la fin d'une longue chaîne d'aliments indigènes authentiques, simples et sincères, comme les Pugliesi eux-mêmes. Ici, on marie l'huile à chacun des produits de la terre : aux aubergines, aux artichauts, aux poivrons, aux champignons, aux oignons doux, aux tomates... Cette union fait vivre les habitants de la région, mais – abondamment exportée – elle permet également au reste du monde d'apprécier cette alimentation méditerranéenne que découvrirent nos ancêtres.

Depuis l'Antiquité les Pouilles sont un grenier à blé, on peut en lire la trace dans l'existence de nombreux produits à base de blé : la farine bien sûr, mais aussi les céréales, pâtes, fougasse, taralli (recette page 210), friselle et biscuits. Aujourd'hui encore, dans quelques villages de l'intérieur des terres, les femmes perpétuent la tradition en partageant la levure servant à la fabrication du pain ; il est toujours possible de trouver des sceaux en bois ou en métal portant le monogramme ou la marque distinctive d'une famille et que l'on imprimait sur les pains avant de les mettre à cuire. Dans certains coins de la région, dans ces villages si durs aux rues en galets, on dit que le pain est la providence de Dieu, et jamais on ne pourrait le gaspiller ni le jeter. Ceux donc qui gaspillent du pain, se verront condamnés à un nombre d'années de purgatoire équivalent au nombre de miettes gaspillées et ils seront contraints de ramasser ces miettes, une à une, avec leurs paupières. "Même mettre du désordre dans le pain n'est pas permis", expliquent des femmes habillées de noir, assises sous des arches le long de ruelles étroites, et chantant pendant qu'elles roulent leurs orecchiette (recette pour la façon de servir les orecchiette, page 213) et leurs pâtes en tire-bouchon, tandis qu'à l'intérieur, les marmites bouillonnent de sauce al ragù. "Ce serait comme détourner son visage du Christ." Si l'on poursuit son chemin, on peut entendre un bouillonnement ; peut-être contiennent-elles des haricots, ces casseroles placées toujours dans l'âtre ou dans des fourneaux alimentés au bois, en ces lieux où les casseroles à pression et les fours à micro-ondes demeurent parfaitement inconnus.

Les légumes, un autre élément de la cuisine méditerranéenne récemment redécouvert, constituèrent le pilier de la nourriture paysanne pendant des décennies. Travaillant loin de leur maison, les cuisiniers paysans laisseront les haricots mijoter la journée entière, revenant manger la purée dans la soirée. Ils prétendent qu'Hercule acquit la force qui lui valut de mener à bien ses travaux mythiques en mangeant la purée de fèves qui, associée à de l'endive douce fraîche ou à de la bette, est servie de nos jours comme un mets raffiné ('Ncapriata, recette page 208).

Un autre rituel des Pouilles qui subsiste est celui lié à la mise en bouteille annuelle de la sauce tomate fraîche. Cette tradition se retrouve jusque dans les cours des maisons de la vieille ville de Bari ; mais aussi dans d'autres villes, grandes comme petites. À deux pas des embouteillages chaotiques et du rythme frénétique de la vie contemporaine, des familles au complet et une ribambelle de voisins communient dans cette coutume. Le premier jour, peut-être la journée la plus brûlante et la plus lourde du mois d'août, débute par la sélection des tomates, qui, selon les femmes les plus âgées, doivent êtres rouges, mûres et intactes. Après avoir haché finement ces tomates et les avoir fait bouillir, les plus jeunes participants les passent au tamis à tambour, puis tous, jeunes et vieux, hommes et femmes, joignent leurs forces pour verser la sauce dans des bouteilles soigneusement lavées, tout en y ajoutant quelques feuilles de basilic ; un peu des parfums et des couleurs de l'été est mis de côté pour l'hiver. On utilise aujourd'hui des capsules qui rendent les bouteilles parfaitement hermétiques, mais il fut un temps où l'on se servait de bouchons de liège, et d'aucuns gardent d'ailleurs une préférence pour ces derniers. La mise à bouillir ou la stérilisation des bouteilles se passent au coucher du soleil, et chacun, tout à son excitation et à sa joie, s'assied et profite de l'air frais de la soirée. Si l'une des bouteilles éclate pendant l'ébullition, en faisant un bruit qui évoque le crépitement d'un feu d'artifice, on prend l'incident pour un bon présage et il est salué par une explosion de rires.

La magie et le charme des Pouilles sont fait d'un mélange d'ancien et de moderne, de sacré et de profane, de religion et de paganisme, si judicieusement combinés qu'il est difficile de voir où l'un finit et où commence l'autre. C'est pourquoi, dans certaines ruelles du promontoire de Gargano, des gens montent encore à dos d'âne, tandis que des avions zèbrent le ciel au-dessus de leur tête, pourquoi aussi un seul et même champ rassemble parfois des poteaux téléphoniques, des betteraves, du fenouil et des troupeaux paissant. Dans le même ordre d'idées, les processions et les parades de carnaval, comme les rites instaurés pour obtenir la pluie ou une bonne moisson, bloquent l'intense circulation, en suscitant l'étonnement des touristes mais nullement celle des indigènes. Les Pouilles sont ainsi : vous

Un berger du promontoire de Gargano dans les Pouilles, avec un tout jeune agneau, né une heure auparavant, près de Monte Sant'Angelo.

La Basilicate est connue pour la qualité de ses produits laitiers, en particulier les fromages frais. On voit ici, outre une ricotta, toute une variété de pecorino (au lait de brebis), à différents stades de leur préparation. ▸

pouvez traverser la rue et changer d'époque, tout en sachant pertinemment bien que la technique moderne se trouve juste à côté de vous. Ici les deux mondes s'interpénètrent sans heurts, puisque l'on peut trouver dans chacun d'eux ce qui manque à l'autre, ou qu'il ne possède qu'à moitié.

La fabrication du vin est l'occasion d'autres rituels, depuis la vendange jusqu'au pressurage des raisins et à la mise en bouteille ; elle inspire une fête d'où émane l'odeur de moût, parfum unique qui flotte alors sur les Pouilles. Les vins de la région – comme les authentiques, francs et corsés Dauni, qui accompagnent à merveille des féculents, du gibier savoureux ou du poisson frais – ont une saveur ensoleillée. Les Cerasuoli sont délicats et secs, tandis que les blancs de Salento, au bouquet frais, se marient parfaitement avec les mets qu'ont légués les anciens Grecs. Les vins de la région de Tarente vont de rouges rubis, à la saveur légèrement amère, à des vins sucrés, de vins plutôt primitifs aux vins légèrement pétillants de la Valle d'Itria. Ces vins accompagnent idéalement les fruits de mer pêchés dans les environs de Tarente, cette ville qui fut fondée, selon la légende, par le héros spartiate Phalante.

Je m'en voudrais de ne pas parler de la dévotion des Pugliesi pour les traditions alimentaires, particulièrement pour les repas qui ont lieu à Noël, à Pâques et à l'occasion d'autres jours fériés. Je n'en veux pour preuves que la coutume de proposer treize services – ni plus, ni moins – la veille de Noël ; que les scarcelle qu'une fiancée prépare pour son prétendant à Pâques ; que les frappe confectionnées pour la fête de la Saint-Joseph ; qu'enfin les doux taralli fabriqués pour la procession du Vendredi Saint. Pour les gens d'ici, comme pour les gens de n'importe quel pays, l'alimentation est une mémoire, une tradition, un recueil de goûts ancestraux, qu'il convient de transmettre aux plus jeunes générations. Cette cuisine est comme l'arme donnée par le guerrier d'autrefois à son fils premier-né, comme le voile de mariage qui se passe de mère en fille, comme des bijoux de famille. C'est un message à conserver précieusement. Vous garderez en mémoire et chérirez d'ailleurs bientôt l'arôme des légumes alla parmigiana ; du riz accompagnant une goûteuse casserole de moules ; des sauces ragù mijotées des heures durant ; des salades fraîches aux couleurs multiples ; des voluptueux, des savoureux fruits de mer ; ou encore de la ricotta à déguster encore chaude, que l'on sort à l'instant d'un panier en roseau…

Et l'image que vous conserverez des Pouilles sera sans doute celle-ci : un endroit qui a accepté le passage du temps mais qui n'a jamais réellement changé ; des grappes de piments forts et de tomates miniatures accrochées à l'extérieur des fenêtres comme elles le font depuis des siècles, à côté de longues tresses d'ail qui serviront durant l'hiver, destinées dans le même temps à écarter le mauvais œil.

Une femme élaguant les feuilles d'une vigne à proximité de Martina Franca.

Une avenue bordée de pins parasols près de San Pancrazio.

◂ *Un homme transportant des coquelicots sur son vélo, sur la route qui mène à Casamassima, près de Bari.*

Zuppa del pescatore prête à cuire, au restaurant Panoramico de l'hôtel du même nom à Castro Marina, dans les Pouilles. Pour se garantir une prise fraîche, le restaurant entretient son propre bateau de pêche. Cette version de soupe de poisson comprend du homard, des moules, des palourdes, une dorade, oignon, ail, tomates, pommes de terre, persil et origan.

Il y a une controverse autour de l'origine du nom Basilicate. Il pourrait dériver de celui d'un administrateur byzantin du Xe siècle, ou de la basilica d'Acerenza, sur le territoire de laquelle un évêque exerçait sa juridiction. Ce qui est certain, c'est que les limites actuelles de la région – quelquefois appelée Lucanie – sont restées semblables à ce qu'elles étaient dans un document de 1277 quand la région englobait 148 villes ; sauf en ce qui concerne Matera, qui lui fut ajoutée en 1663 et en devint la capitale.

Suivre à la trace l'histoire, l'art et le folklore de cette région, comme également ses plats les plus traditionnels et ses façons de les préparer, s'avère une tâche difficile. La cuisine de la Basilicate, tout en n'offrant peut-être pas un caractère unique évident, et même si elle s'assimile à certains égards aux cuisines des Pouilles et de la Calabre, possède malgré tout ses saveurs particulières. Mais il n'est pas aisé de les décrire car leurs secrets se cachent parfois dans des alchimies conservées quelque part dans des villages perdus au plus profond de la région. Bien que tous les mets traditionnels ne me sont pas connus, je pointerai les saveurs particulières des maccheroni a ferretti, des bandes de pâtes percées à l'aide de fils minces, qu'il est impossible de trouver ailleurs ; ou celles des stivaletti, une variante des orecchiette des Pouilles ; ou celles de la soupe de Maratea, un plat au goût riche, constitué de légumineuses, d'oignons, de pommes de terre et de différents légumes du potager.

La chasse est ici une pratique encore courante qui remonte à l'époque des seigneurs de Lagopesole, Tricarico, Venosa, Lagonegro, Melfi et Lavello. Elle leur permettait de passer le temps entre une invasion, une croisade ou une expédition à Naples pour y fomenter des conspirations. Aujourd'hui toutefois les intrigues ne se trament qu'entre un père et son fils, et concernent les secrets pour attendrir la viande ou en faire disparaître les odeurs de gibier. Bécasses, cailles, perdrix, lièvres, et même sanglier sauvage peuvent se trouver à la carte des restaurants, rôtis au four, braisés, ou cuits à la marmite. Les anguilles du lac de Monticchio et la truite du Sirino sont tout aussi délicieuses.

Vous remarquez qu'en Basilicate comme dans les Pouilles, les saveurs des mets résultent du mélange subtil de l'air, de la terre et du soleil. Le dur labeur de ceux qui travaillent la terre, partent en mer, cueillent les fruits, et constituent des réserves pour les jours maigres fait le reste. Même les produits du jardin portent les noms de leurs lieux d'origine, pour qu'on ne puisse pas les confondre. On parle du fenouil de Potenza ou de Melfi, des haricots de Pignola, des haricots de Lauria, des fèves de Lavello, des pois chiches de Matera, des poivrons de Senise.

Zuppa del pescatore, prête à être servie à l'hôtel Panoramico à Castro Marina.

À Molfetta, sur la côte adriatique des Pouilles entre Bari et Trani, des bateaux de pêche, au premier plan, et le Duomo Vecchio, la vieille cathédrale du XIIIe siècle, dans le fond.

Antonio di Pace ouvrant des oursins au marché aux poissons de Porto Cesareo, dans le golfe de Tarente.

Ce pays qui semblait si fermé ouvre finalement son cœur, même à l'étranger, l'amenant progressivement à aimer son territoire et son peuple, et à comprendre les vraies raisons d'un isolement librement choisi, comme un moyen de résister au passage du temps et à l'impact de l'Histoire. La Basilicate est à l'image de ses produits alimentaires, dure à l'extérieur et tendre à l'intérieur – ainsi ses butirri (de petits fromages avec un cœur de beurre), ou ses pezzotti (une pâtisserie sucrée fourrée au miel et aux noix), ou les châtaignes sucrées de Vulture, qui sont jalousement protégées par leurs bogues hérissées de pointes, mais qui, une fois ouvertes, se donnent avec cette même générosité. Même les vins de la Basilicate reflètent le caractère de ses habitants. Parmi eux, l'Aglianico, originaire de la région de Vulture, savoureux, a du corps à revendre, avec sa robe grenat brillant. Il existe aussi d'excellents vins blancs tels que l'Asprino di Ruoti, le Malvasia di Rapolla, le Moscato di Melfi, le Barile, le Rapolla, le Maschito et le Ripacandida.

Depuis des siècles et des siècles, les châteaux de la Basilicate et les tours de guet disposés le long de la côte des Pouilles sont toujours debout. Par temps clair, on peut presque imaginer de hardies sentinelles se criant les unes aux autres, de tour à tour, en langage codé, des histoires pittoresques des temps passés, ou même du présent bien réel ; des histoires teintées de souffrance et de passion, de rites et de traditions, dont ces hommes ont été témoins et devant lesquels ils ont monté la garde pendant si longtemps. Et voici la fin du voyage.

Paola Pettini

Parc à moules traditionnel près de Tarente dans les Pouilles.

Des oliviers plusieurs fois centenaires près de Torre Canne, sur la côte adriatique, entre Bari et Brindisi.

Ces mystérieuses constructions qu'on appelle trulli (ici dans un champ près de Ceglie Messapico dans le "district des trulli"), bâties en pierre sèche blanchie à la chaux, portent témoignage d'anciennes civilisations sarrasine et chrétienne.

Nature morte de pain, d'huile et de tomates avant qu'ils ne se transforment en un des plats italiens les plus élémentaires, la bruschetta.

Bruschetta présentée cuite avec ses ingrédients de base au restaurant Da Mario à Matera, la capitale provinciale de la Basilicate (recette semblable, à droite, à la façon de Paola Pettini). ▸

Dans les Pouilles, cette bruschetta sera servie en amuse-gueule. Si vous servez cette bruschetta pour accompagner les recettes de soupe de poisson des pages 153, 186 et 190, vous pouvez laisser de côté les tomates, en vous contentant de tremper le pain dans de l'huile d'olive et de le frotter d'ail ensuite.

Bruschetta Pain grillé aux tomates

À la façon de Paola Pettini de Bari

Pour 4 personnes

Un pain italien ou une baguette française de 250 g, coupé en 8 tranches
Une gousse d'ail, épluchée et coupée en deux
120 ml d'huile d'olive
2 grosses tomates mûres coupées en tranches épaisses
Sel et poivre
De l'origan frais

Grillez les tranches de pain à four modéré jusqu'à ce qu'elles soient dorées sur les deux faces. Quand le pain est grillé, placez les tranches sur un grand plat et passez rapidement en frottant le côté coupé de la gousse d'ail sur une face de chaque tranche. Versez une cuillerée à soupe d'huile d'olive sur le dessus de chaque face frottée à l'ail. Répartissez équitablement les tomates entre les tranches de pain, puis parsemez de sel, de poivre et d'origan frais. Certains choisiront de verser un généreux supplément d'huile sur le tout avant de servir très chaud.

'Ncapriata est le mot du dialecte des Pouilles pour désigner les fave e cicoria, haricots et endives, que l'on mange de nos jours en plat d'accompagnement. Il s'agit de l'un des plus anciens plats de la région méditerranéenne, remontant à l'époque des pharaons (en fait, il est toujours populaire en Égypte).

L'extérieur d'une ferme peinte de couleurs chaudes, près de Matera en Basilicate ; ail, tomates séchant et basilic distillent l'essence la plus profonde de l'Italie.

'Ncapriata Purée de fèves à la chicorée

À la façon de Paola Pettini de Bari

Pour 4 personnes

350 g de fave sèches (fèves)
50 ml d'huile d'olive extra-vierge, plus un supplément pour la chicorée
Une chicorée d'approximativement 450 g
Sel

Nettoyez et rincez soigneusement les fave. Couvrez-les d'eau et laissez-les tremper toute une nuit.
Enlevez les enveloppes extérieures foncées et rincez les fèves. Mettez-les dans une casserole, ajoutez suffisamment d'eau pour les couvrir et commencez la cuisson. Dès que les fèves sont à ébullition, réduisez la chaleur et, en remuant de temps en temps, cuisez à feu doux jusqu'à ce que les fave puissent être facilement écrasées (environ 1 heure). Coupez la source de chaleur, assaisonnez de sel. Ne touchez plus la casserole pendant 30 minutes.

Passez les fave au presse-purée ou au robot de cuisine, mélangez jusqu'à obtenir une purée, puis incorporez l'huile d'olive et battez le tout.

Lavez, élaguez et cuisez la chicorée séparément dans de l'eau bouillante salée jusqu'à ce qu'elle soit tendre, soit environ 3 à 5 minutes, et égouttez-la. Servez les fave avec la chicorée et de l'huile d'olive pour l'assaisonner.

OLIO

Pains typiques des Pouilles à la Forneria de Martina Franca, avec de haut en bas : frise, taralli et focacciete.

Les Taralli sont des biscuits non sucrés (de l'ancien français bis cuits, signifiant "cuit deux fois"), qu'on peut tremper dans du vin ou manger avec du vin comme casse-croûte. La saveur des taralli varie : à Bari, on n'y ajoute rien ; à Tarente, ils ont un goût de fenouil ; et à Brindisi comme à Lecce, ils sont bien poivrés. Ici, Paola Pettini nous propose une recette à la mode de Tarente.

Taralli Scaldatelli Biscuits taralli

À la façon de Paola Pettini de Bari

Pour 3 douzaines de taralli

- 400 g de farine ordinaire
- 100 ml d'huile d'olive, chauffée, ainsi qu'un supplément pour préparer la plaque à pâtisserie
- 1 paquet de levure sèche
- 1 cuillerée à soupe de graines de fenouil
- 175 ml de vin blanc sec, chauffé

Mélangez la farine à la levure et aux graines de fenouil. Incorporez-y l'huile et le vin, qui doivent être tous les deux chauds. Étendez la pâte sur un plan de travail saupoudré de farine, et pétrissez-la bien jusqu'à ce qu'elle soit lisse et ferme. Laissez reposer la pâte pendant 10 minutes.

Prenez quelques pâtons et donnez-leur avec les mains une forme de boudin d'environ 1 cm de diamètre. Coupez le boudin en sections de 5 cm, formez un anneau avec chacune d'elles, et pressez les extrémités pour les sceller parfaitement. Continuez suivant cette méthode, jusqu'à avoir utilisé toute la pâte.

Préchauffez le four à 190° C. Mettez à bouillir, à feu vif, une grande marmite remplie d'eau salée.

Laissez tomber les taralli dans l'eau bouillante salée. Lorsqu'ils remontent à la surface, retirez-les à l'aide d'une écumoire. Laissez-les sécher parfaitement sur un linge. Cuisez les taralli sur une grande plaque à pâtisserie huilée, pendant 15 à 20 minutes. Servez chaud ou froid.

1. *Oursins, huîtres et moules en vente au marché du dimanche d'Interlalanza, à Bari.*
2. *Poivrons rouges et jaunes au marché de la via Nicolai, à Bari.*
3. *Calmars dans des paniers au marché d'Interlalanza, à Bari.*
4. *Divers fromages locaux à la Casa del Latticino à Avigliano, près de Potenza en Basilicate, avec de haut en bas : ricotta dans leurs moules, trecciette, et mozzarelle.*
5. *Écoliers en uniforme à Alberobello, la capitale du district des trulli dans les Pouilles.*
6. *Tranches d'aubergine cuites directement sur le fourneau au restaurant Panoramico à Castro Marina dans les Pouilles.*
7. *Tomates séchant sur un balcon dans le sud de l'Italie.*
8. *Bateaux de pêche dans le port de Castro Marina, sur la mer Ionienne.*
9. *Sardines fraîches au marché de la via Nicolai, à Bari.*

1 2 3 4 5 6 7 8 9

Les orecchiette, "petites oreilles", constituent les pâtes les plus symboliques des Pouilles, une région pourtant réputée pour sa consommation de pâtes. Une orecchietta ressemble à une petite coquille, et elle est façonnée par simple pression du pouce sur de petits disques découpés dans un épais morceau de pâte. La dépression qui en résulte permet d'accueillir toutes sortes sauces.

Orecchiette e Cime di Rapa

Orecchiette aux fanes de navet

À la façon de Paola Pettini de Bari

Pour 6 personnes

900 g de cime di rapa (fanes de navet)
500 g d'orecchiette sèches
50 g de sel, plus un supplément à volonté
12 filets d'anchois conditionnés dans de l'huile
4 gousses d'ail épluchées et broyées grossièrement
50 ml d'huile d'olive
1/2 cuillerée à café d'éclats de piment rouge, plus un supplément à volonté

Nettoyez les cime di rapa, retirez-en les tiges et utilisez seulement les feuilles les plus tendres. Lavez convenablement les fanes et laissez-les bien égoutter.

Cuisez les orecchiette dans une grande quantité d'eau bouillante avec 50 g de sel, en suivant les instructions figurant sur l'emballage. 2 minutes avant qu'elles soient totalement cuites, ajoutez les fanes dans la casserole et remuez. Pendant que les pâtes cuisent, rincez convenablement les filets d'anchois et séchez-les en les tapotant. Dans une casserole, faites sauter l'ail dans l'huile d'olive avec les éclats de piment rouge, ajoutez ensuite les anchois et cuisez durant quelques minutes à feu doux, en écrasant les anchois à l'aide d'une cuiller jusqu'à ce qu'ils se dissolvent.

Égouttez les pâtes et les fanes quand les pâtes sont al dente. Retirez l'ail de la sauce et versez la sauce sur les orecchiette. Assaisonnez à volonté avec un supplément de sel et d'éclats de piment rouge, et servez brûlant.

Orecchiette accompagné des ingrédients pour une simple sauce tomate à la Trattoria delle Ruote près de Martina Franca.

Une scène de rue typique l'après-midi à Martina Franca.

◂ *Antipasti à la Trattoria delle Ruote près de Martina Franca, un restaurant qui se spécialise dans la cuisine familiale des Pouilles. On peut voir ici, conservés dans du vinaigre, des artichauts, des carottes, des courgettes, des poivrons jaunes, des oignons, des pois et des haricots verts, avec de la pancetta et du capocollo (deux viandes fumées), et un peu de pain frais.*

Ingrédients de la frittata di asparagi, présentés avec une fougasse – dans ce cas-ci, il s'agit d'un pain au poivre –, au restaurant Il Fusillo. Dans cette recette, on peut indifféremment utiliser de l'huile ou du beurre, ou même les deux.

Voici une omelette que vous servirez au déjeuner ou comme dîner frugal, avec du pain frais.

Frittata di Asparagi Omelette aux asperges sauvages

À la façon de Maria Summa, responsable du restaurant Il Fusillo, Avigliano

Pour 2 personnes

Une botte de 250 g d'asperges sauvages, ou 450 g d'asperges de culture
4 cuillerées à soupe de fromage pecorino ou Romano râpé
4 œufs
Du sel et du poivre fraîchement moulu
1 cuillerée à soupe d'huile d'olive

Les asperges sauvages (asparagi di campo, "provenant du champ") sont si minces et si tendres qu'elles ne nécessitent aucune cuisson préalable avant d'être ajoutées à l'omelette. Contentez-vous de les laver : il n'est pas nécessaire de les couper. Si vous utilisez des asperges de culture, coupez les bouts, y compris 2,5 cm de la tige, et cuisez-les dans de l'eau bouillante salée durant 4 minutes. Égouttez et poursuivez la recette. Vous pouvez également utiliser les 5 cm supérieurs de la tige des asperges de culture – coupez seulement cette partie en sections de 2,5 cm et blanchissez avec les bouts.

Dans un bol, battez les œufs et mélangez-les aux asperges, au fromage, au sel et au poivre à volonté. Chauffez l'huile d'olive dans une poêle à frire ou une poêle à omelette, et versez le mélange d'œufs. Dès que le fond est solidifié et doré, retournez la frittata, et cuisez l'autre face jusqu'à ce qu'elle soit dorée.

Cozze Gratinate Moules au gratin

À la façon de Paola Pettini de Bari

Pour 6 personnes

1 kg 300 de moules dans leurs coquilles
60 g de chapelure sèche
2 gousses d'ail épluchées et broyées très finement
4 cuillerées à soupe de persil haché fin
1 pincée de sel
1 bonne pincée de poivre
100 ml d'huile d'olive

Préchauffez le four à 190° C.
Brossez et nettoyez soigneusement les moules. Mettez-les dans une grande casserole à feu suffisamment chaud, avec 2 cm d'eau dans le fond, et cuisez, en ayant couvert, jusqu'à ce que les moules s'ouvrent. Filtrez le liquide, en gardant 50 ml. Retirez la coquille vide supérieure de chaque moule, et disposez les moules dans leurs demi-coquilles dans un plat allant au four.

Mélangez la chapelure avec le jus de cuisson des moules, le persil, l'ail broyé, le sel et le poivre, et 50 ml de l'huile d'olive. Répartissez généreusement cette préparation sur les moules. Versez le restant de l'huile sur les moules, chauffez-les au four durant 10 minutes, et servez.

Cozze gratinate préparé pour la cuisson au restaurant Panoramico à Castro Marina .

Frittata di asparagi prête à être servie avec de la focaccia au restaurant Il Fusillo à l'hôtel Gala d'Avigliano. ▸

Villageois à l'ombre, à l'entrée du château de Miglionico, au sud de Matera en Basilicate.

Les ingrédients et la préparation des fusilli al ragù, aussi appelés braciole al ragù, au restaurant Il Fusillo de l'hôtel Gala à Avigliano, aux environs de Potenza. Les roulades (paupiettes) de bœuf ou de veau sont cuites dans ce qui deviendra la sauce des pâtes, et ensuite ces paupiettes de viande, qu'on appelle involtini, seront servies en deuxième plat. Ces fusilli-ci ont été façonnés à la main par Mme Pierina Zaccagnino.

Les fusilli sont des pâtes de la minceur d'un fil, qu'on enroule en forme de spirale à l'aide d'une broche à rôtir. La pâte est la combinaison la plus simple qu'on puisse imaginer, seulement du blé dur et de l'eau. Ici, les fusilli sont servis avec une sauce légère à la viande.

Fusilli al Ragù Fusilli à la sauce à la viande

À la façon de Maria Summa, responsable du restaurant Il Fusillo, Avigliano

Pour 4 personnes

900 g de rôti, coupé en 8 tranches minces
3 gousses d'ail épluchées et broyées finement
1 gros oignon épluché et haché très fin
2 carottes épluchées et hachées très finement
4 cuillerées à soupe de persil haché fin
30 g de fromage pecorino ou provolone râpé
30 g de chapelure sèche
1 cuillerée à soupe de sel
2 cuillerées à café de poivre
De la farine (facultatif)
30 ml d'huile d'olive
100 g de pancetta maigre, émincée
1 boîte de 800 g de tomates pelées, égouttées et hachées finement, ou passées au robot de cuisine
250 ml de vin rouge ou blanc sec
500 g de fusilli

Martelez les tranches de viande entre des morceaux de papier paraffiné pour les rendre encore plus minces et plus tendres.

Dans un bol, mélangez la moitié de l'ail broyé et de l'oignon (gardez l'autre moitié de chacun pour la sauce), et la carotte, le persil, le fromage, la chapelure, 1 cuillerée à café de sel et 1 de poivre. Saupoudrez chaque tranche de viande d'une petite pincée de sel et d'une pointe de poivre, et mettez 3 cuillerées à soupe de la farce au milieu de chaque tranche de viande. Roulez chaque tranche à partir d'un angle en direction de son angle opposé en diagonale, en réalisant un rouleau aussi long que possible, puis repliez les extrémités, une à la fois, vers le milieu du rouleau, jusqu'à ce qu'elles se chevauchent légèrement, constituant ainsi une roulade (paupiette), que vous pouvez soit embrocher à l'aide d'un cure-dent, soit lier avec du fil de coton : d'une manière ou d'une autre, la paupiette devra demeurer parfaitement fermée durant la cuisson. (Certains cuisiniers aiment, à ce stade, saupoudrer les paupiettes de farine).

Dans une grande poêle à frire, faites sauter les paupiettes (involtini) dans l'huile d'olive, en les retournant pour dorer toutes les faces. Quand elles sont parfaitement dorées, retirez-les de l'huile, mais gardez l'huile dans la poêle. Faites sauter la pancetta émincée dans l'huile, avec le reste d'oignon et d'ail, à feu doux, jusqu'à ce que l'oignon soit ramolli. Remuez fréquemment et veillez à ne pas laisser brûler l'ail. Ensuite, ajoutez les tomates et le vin, et replacez les involtini dans la préparation. Le liquide dans la poêle doit à peine couvrir la viande ; s'il ne la couvre pas, ajoutez un peu d'eau bien chaude. Portez à ébullition, couvrez, réduisez la chaleur et mijotez pendant environ 2 heures, en remuant de temps en temps, jusqu'à ce que la sauce soit réduite et concentrée, et que la viande soit très tendre.

Quand la viande est à peu près cuite, cuisez les fusilli dans une grande quantité d'eau bouillante salée jusqu'à ce qu'ils soient al dente, et puis égouttez-les. Nappez les fusilli de la sauce à la viande, mais gardez un peu de sauce pour accompagner les involtini, qui seront servis en deuxième plat. N'oubliez pas d'enlever le fil, si vous avez opté pour cette solution, avant de servir la viande, 2 paupiettes par personne.

Un homme élaguant un olivier en mai près de Bitritto, aux alentours de Bari, dans les Pouilles.

Polpette di Pane Boules de pain

À la façon de Paola Pettini de Bari

Pour 2 douzaines de polpette

Les polpette :

5 œufs
4 cuillerées à soupe de persil haché fin
1 gousse d'ail épluchée et broyée finement
1 cuillerée à café de sel
1 pincée de poivre
60 g de parmesan ou de fromage Romano fraîchement râpé
450 g de chapelure blanche sèche
De l'huile végétale pour frire les polpette

Pour servir :

Sauce tomate (préparation ci-dessous)
6 cœurs d'artichauts, en fines tranches
30 ml d'huile d'olive
2 gousses d'ail épluchées et broyées très finement
4 cuillerées à soupe de persil haché fin

Dans un bol, mélangez tous les ingrédients destinés aux polpette, jusqu'à obtention d'une pâte ferme. Façonnez-en des boules de la taille de noix, que vous ferez frire jusqu'à ce qu'elles soient dorées, dans de l'huile moyennement chaude. Égouttez et servez, ou cuisez lentement dans une sauce tomate (recette ci-dessous). Faites sauter les artichauts dans l'huile d'olive avec l'ail broyé et le persil haché, pendant 10 minutes, et servez avec les polpette si vous le désirez.

Pour 450 ml de sauce tomate :

30 ml d'huile d'olive
1 gousse d'ail, épluchée et coupée en deux
1 boîte de 800 g de tomates pelées, coupées grossièrement, avec leur jus
1 cuillerée à soupe de persil haché fin
Sel

Chauffez l'huile d'olive dans une poêle à frire de taille moyenne et cuisez-y l'ail jusqu'à ce qu'il soit doré. Puis, retirez l'ail. Ajoutez les tomates coupées dans la poêle avec leur liquide et mijotez pendant environ 10 minutes, en remuant de temps en temps, jusqu'à ce que la sauce soit légèrement épaissie.

Ajoutez le persil haché, assaisonnez de sel, retirez du feu, et servez.

Fichi Secchi Ammandorlati Figues sèches aux amandes

À la façon du restaurant Da Mario, Matera

Pour 4 personnes

12 figues sèches
40 g d'amandes blanchies et broyées très finement
50 ml de miel, plus un supplément pour la garniture
1 petite pincée de graines de fenouil

Si les figues sont très sèches et dures, faites-les tremper dans de l'eau pendant 2 heures. Préchauffez le four à 150° C. Opérez dans les figues une incision en forme de croix, sur 1 cm à partir du fond de chaque figue. Mélangez les amandes, le miel et les graines de fenouil dans un petit bol à mélanger.

Remplissez les figues de ce mélange, par l'incision que vous avez pratiquée, et appuyez sur le sommet de la figue pour fermer cette ouverture. Versez en pluie le reste du miel sur les figues et passez au four pendant 20 minutes.

Servez chaud.

L'un des desserts les plus connus de la Basilicate, les fichi secchi ammandorlati, au restaurant da Mario à Matera. Les figues sont ici garnies de feuilles de laurier.

Dans la boulangerie de Giuseppe Rinaldi au Monte Sant'Angelo, sur le promontoire de Gargano dans les Pouilles.

Jeunes femmes rassemblant la paille après la moisson dans une massena, une vaste ferme, près de Martina Franca dans les Pouilles.

DI VITELLO
£ 7000
CHILO
1° TAG
VITELLOS
£ 9.0
CAPRETTO
NOSTRANO
£ 10000
£ 5000

16417

Cette pièce de l'Albergo Sacchi, sur le Monte Ortobene en Sardaigne, est un véritable petit musée. Y arriver réclame une journée de voyage depuis la ville de Nuoro. On a conservé à ce petit bâtiment, situé loin de l'hôtel principal, son aspect traditionnel . Il est utilisé dans des occasions spéciales et les propriétaires y exposent un certain nombre d'aliments locaux : un jambon fumé pend au mur ; au premier plan un pain carta di musica et tout un assortiment de fromages pecorino.

Le temple de la concorde au coucher du soleil, à Agrigente, sur la côte sud de la Sicile.

◄PAGES PRÉCÉDENTES
Une scène bien colorée au marché Vucciria de Palerme, la capitale et le port de mer principal de la Sicile. Le nom Vucciria signifie littéralement "le marché bruyant".

IX. *Sicile / Sardaigne*

DEPUIS PLUS DE 2 500 ANS, contraste et diversité ont trouvé un asile à toute épreuve en Sicile. Sa position stratégique entre l'Europe et l'Afrique en a fait un des hauts lieux du syncrétisme de l'ancien monde; elle reçut les grandes civilisations de la Méditerranée : grecque et romaine, arabe et normande, et, finalement, française, espagnole et italienne. (Il n'y a, en réalité, qu'un peu plus de cent ans qu'elle fait partie de l'Italie.) Cette riche tapisserie que constitue la vie sicilienne, est demeurée profondément imprégnée de l'un et l'autre éléments qu'elle doit à chacun de ces peuples : dans ses coutumes, son langage, et sa cuisine.

Le fondement même de la culture sicilienne repose sur une symbiose de traditions diverses, que l'on pourrait peut-être appeler plus proprement une culture de cultures. Les grandes villes de Sicile ne sont pas des palimpsestes comme tant d'autres cités italiennes, telles Florence ou Rome, où des couches successives de culture s'encadrent les unes les autres, se superposent, ou même viennent effacer des influences précédentes. En Sicile, au contraire, les influences qui ont donné à l'île son cachet actuel, ne se sont jamais contentées d'exister côte à côte dans un froid respect de la démocratie, elles se sont plutôt toujours mélangées, pour donner naissance à quelque chose de nouveau et d'original. En parcourant l'île, il est courant de tomber sur de massives églises romanes de l'époque normande harmonieusement décorées d'une ornementation arabe ou sur des temples grecs classiques transformés – sans rien perdre de leur dignité – en de remarquables églises baroques du XVIIe siècle.

Sans s'en rendre compte, on passe avec une facilité déconcertante de dômes roses byzantins à des plafonds en nid d'abeilles arabes ; d'une villa décorée de mosaïques romaines du Ier siècle à quelques-uns des temples doriques les mieux conservés au monde – sans aucun sentiment de fracture, jusqu'à ce que le temps lui-même s'efface et que l'on ne se trouve plus au Ve siècle ou au XIIe, mais en un endroit où le temps n'existe pas, tout simplement parce que ce lieu incarne à lui seul toutes les époques. C'est comme si les mers qui entourent la Sicile, avaient emporté les oppositions nettes existant entre les différents châteaux de sable de ses conquérants et laissé un paysage jonché de valeurs, de coutumes, de langues et de mets qui ne sont propres qu'à elle.

Il n'y a aucun aspect de la culture sicilienne qui puisse mieux que sa cuisine refléter l'habileté de l'île à distiller l'harmonie au départ d'éléments différents. La cuisine sicilienne mêle les épices arabes et grecques aux sauces espagnoles et françaises, si bien que presque chaque plat populaire est un artefact vivant de la longue histoire de l'île. Outre leurs origines composites, les recettes elles-mêmes sont souvent des mélanges d'éléments opposés, comme la saveur aigre-douce de l'omniprésente aubergine caponata ou la texture à la fois dure et tendre des cannoli frais.

La Sicile attira des pirates grecs dès le Ve siècle avant J.-C., et ceux-ci y amenèrent l'olivier et la vigne. Quand les Romains prirent la relève, ils apportèrent le blé, le maïs et d'autres céréales, et firent du sol fertile de la Sicile "le grenier de l'Empire romain". Peu de temps après, les Siciliens commencèrent à cuire du pain et l'île produit encore l'un des meilleurs pains d'Italie.

Les Arabes s'emparèrent de la Sicile au IXe siècle et établirent à Palerme un émirat peuplé de 300 000 habitants. Il est difficile de se l'imaginer aujourd'hui, alors qu'elles ont toutes disparu, mais il fut un temps où Palerme comptait plus de 400 mosquées en ses murs. Les Arabes apportèrent le riz, les plantations d'agrumes et les palmiers dattiers, qui donnent à la Sicile un cachet tropical. Mais ils firent connaître surtout leurs épices (safran, cannelle, clous de girofle, sésame) et certaines noix exotiques, comme les pistaches qui se retrouvent dans l'un des plus populaires desserts siciliens – la cassata siciliana. Cette friandise, un modèle de douceur, se compose de couches de gâteau de

Savoie qui alternent avec un mélange de ricotta, de cannelle et de crème au chocolat. Le tout est ensuite nappé d'un glaçage parfumé à la pistache et minutieusement décoré de fleurs faites de prunes, de figues, de cerises confites, etc.

Les Arabes lancèrent aussi la chasse au thon et à l'espadon, qui constitue toujours une industrie sicilienne importante. La mattanza, la chasse au thon le long de la côte occidentale près de l'île de Favignana, attirait des foules de nobles au XVIIIe siècle, en particulier le harponnage qui suivait la remontée des filets. Cette chasse au thon reste un spectacle passionnant, bien qu'assez sanglant.

L'exemple classique du rapprochement culinaire arabo-sicilien est le couscous, ou cuscus en sicilien (recette page 243). Le cuscus est une semoule cuite à la vapeur ; le meilleur endroit pour le déguster est Trapani, où on le sert avec du poisson en été et de la viande en hiver. La saveur de ce plat très simple dépend entièrement de la richesse du bouillon dont la vapeur sert à cuire la semoule. Le cuscus est préparé dans une casserole à deux niveaux, répondant au nom de cuscusiera, où la vapeur provenant du bouillon du dessous mijote et cuit la semoule placée au niveau supérieur. Quand celle-ci est cuite, on peut y ajouter pour ainsi dire tout ce qu'on veut (moules, agneau, crevettes ou légumes), de façon à constituer un ragoût copieux.

Beaucoup d'historiens prétendent que ce sont les Arabes (et non Marco Polo) qui ont faits découvrir les pâtes à l'Italie, et donc à la Sicile. Qu'il en soit ainsi ou non, il est indiscutable que bon nombre de plats de pâtes en Sicile ont subi une influence arabe. Le plus fameux est probablement la pasta con le sarde, un mélange aigre-doux de sardines, de fenouil sauvage, de raisins secs de Smyrne, de pignons et de sauce tomate (recette page 239). Je ne connais rien qui puisse, mieux que la pasta con le sarde, symboliser les contrastes qui sont à la base de la culture sicilienne ; cette pasta con le sarde associe le poisson issu des eaux très riches de la Sicile, les raisins secs et les noix du passé arabe de l'île, la tomate et les pâtes de son histoire plus récente, et, pour finir, la barbe du fenouil, qui pousse à l'état sauvage dans les lézardes des anciens temples grecs, tels ceux de Ségeste et de Sélinonte.

Parmi d'autres plats marqués au coin de l'influence arabe, citons le torrone, un bonbon au nougat fabriqué à base de miel, de graines de sésame, d'amandes et de massepain. Les amandiers, qui poussent partout dans l'île (mais il n'y en a nulle part de plus beaux que ceux qui fleurissent au début du printemps parmi les temples dorés d'Agrigente), constituent la source du fameux massepain sicilien (trempé dans du chocolat !), que vous pouvez admirer dans les vitrines des boutiques le long du Corso de Taormine. Laissez-vous tenter ici par l'achat de petits paniers en paille remplis de massepain auquel on a donné la forme de lapins ou d'agneaux, ou encore celle des fruits et des légumes caractéristiques de Sicile, tels les tarocchi (oranges sanguines) ou l'omniprésent fico d'India (poire piquante), qui pousse sur les pentes de Taormine et adopte parfois une couleur fuchsia à l'extérieur, pour une violente et étonnante couleur chartreuse à l'intérieur.

Les Espagnols, qui gouvernèrent la Sicile du XVe au XVIIe siècle, importèrent la tomate du Nouveau Monde, et ce légume donna naissance à toute une série de plats de pâtes garnis de sauce tomate. La pasta alla Norma doit son appellation à l'héroïne de l'opéra de Vincenzo Bellini. Bellini était né à Catane, où les tomates prospèrent sur les

Deux jeunes enfants dans la sacristie d'une église sicilienne en 1957.

◂ *Une sélection de friandises siciliennes à Terra Rossa, une petite colonie de vacances mise sur pied par la famille Martorana, près de Taormine : massepain (pasta reale) en forme de fruits ; un gâteau cassata ; un gâteau aux amandes ; et de petits biscuits au massepain préparés par des religieuses au monastère du Santo Spirito à Agrigente.*

pentes de l'Etna, dans un sol enrichi par la lave. La pasta alla Norma est un plat de pâtes courtes, accompagné d'une sauce d'aubergines et de tomates, et garni de feuilles de basilic et de fromage ricotta sec râpé.

C'est sous Frédéric II, l'empereur du Saint-Empire romain enterré dans la cathédrale de Palerme, dont la cour était un bastion de très haute culture, que les distinctions de classe se marquèrent à un point tel en Sicile qu'elles s'étendirent à l'alimentation elle-même. Deux traditions séparées, de haute et de basse cuisine, subsistent dans l'île. La haute cuisine trouve peut-être sa représentation la plus fidèle dans la cuisine monzù, dont les origines remontent au royaume des Deux-Siciles, quand la Sicile fut réunie à Naples par le pape, sous la maison française d'Anjou, et que des saveurs françaises furent donc introduites dans l'île. L'avènement véritable de la cuisine monzù (du français monsieur) se produisit cependant aux XVIIIe et XIXe siècles, quand une élégante cuisine de cour fut créée par les monsieurs, les chefs français employés par les Bourbons et leur suite.

Un exemple classique de cette influence française est la roulade de viande sicilienne connue sous le nom de farsumagru, une adaptation d'un roulé français. Farsumagru (ou falsomagro) signifie littéralement "faux maigre", parce que ce qui semble de l'extérieur n'être qu'une simple roulade de viande, s'avère en réalité une sorte de corne d'abondance rôtie, pleine à craquer de veau haché, de fromage, de jambon, de pois, de salami et d'œufs durs – tout ce qui portera l'empreinte de la noblesse et que le bas peuple ne pourra jamais se permettre.

On peut rencontrer la basse cuisine sicilienne dans l'alimentation populaire de la rue à Palerme. Au moment du repas de midi, les rues latérales et les minuscules ruelles labyrinthiques qui abritent le marché Vucciria, baignent dans une symphonie d'arômes plus tentants les uns que les autres. Les employés de bureau, les hommes d'affaires et les secrétaires des ministères voisins forment des cercles autour des vendeurs qui proposent une variété de plats bien chauds et épicés – sorte de "fast-food" à l'italienne – servis sur des petits pains au lait ou parfois simplement sur une feuille de papier de boucherie. Il y en a qui encerclent ces grosses marmites en fonte contenant de l'huile bouillante, où la frittella ou frittedda (un genre de tempura sicilienne) est en train de frire ; d'autres qui hurlent des commandes de guasteddi (petits pains au lait frais fourrés de rubans fort chauds de rate de veau, de ricotta, de brins de fromage de chèvre, et d'une sauce tomate brûlante) ; d'autres encore qui se contentent d'un cône en papier rempli de panelle (beignets de farine de pois chiche) ou d'un ou deux arancini (boules de riz farcies de viande et de fromage, panées et frites, recette page 244). En retournant au travail, ces consommateurs s'arrêteront dans un bar pour boire un café et manger un cannolo, la fameuse gaufrette de forme caractéristique, qui, à mon sens, n'est jamais meilleure qu'à Palerme, où la farce de ricotta fraîche se révèle toujours légère et lisse comme de la soie, et n'écrase jamais le soupçon de graines de fenouil.

La Sicile moderne est encore toujours une terre de contrastes. La grâce et la noblesse traditionnelles du peuple sicilien côtoient les atrocités et la présence destructrice de la Mafia. À côté de quelques-uns des exemplaires de la plus exquise architecture que le monde ait jamais connue, se développent des témoins de la pire spéculation existant en Europe. Récemment, l'île, comme d'ailleurs une grande partie de la côte méditerranéenne, a connu un boom du tourisme populaire et une vague de construction d'immeubles en copropriété sur le bord de mer, un déferlement qu'on commence seulement à contrôler. De plus, les boutiques chic qui, dans des stations pour riches comme Taormine, vendent la belle dentelle et la lingerie faite main, masquent souvent la misère de ceux qui fabriquent ces articles dans des villes comme Enna et Caltanissetta.

Dans l'Odyssée d'Homère, la Sicile représentait la dernière frontière – celle qui séparait la civilisation de l'inconnu – et pourtant, la région devint, sous les Normands, le centre du monde connu. Face à la côte nord-est de

Un repas paysan simple, composé de fèves, de fromage pecorino, de pain corona et de vin, à Terra Rossa, près de Taormine, en Sicile. ▸

la Sicile, là où, selon Homère, Ulysse fut confronté à l'un des plus redoutables défis de son odyssée – les périlleux écueils et les terribles tourbillons de Charybde et Scylla – les grands traghetti, ou ferry-boats, traversent toujours les mêmes eaux, pour assurer la navette des voitures, trains et voyageurs entre la Sicile et la péninsule italienne.

Ce voyage est l'un des grands parcours d'aventure du monde réel. À chaque fois que je l'accomplis, je reste toujours sur le pont et regarde à l'arrière les hélices faire bouillonner ces eaux jadis si chargées de danger et de mystère, les transformant en mares translucides aux teintes d'albâtre gris-vert. Et quand vient la nuit, c'est la traînée d'écume blanche que laissent les hélices que je ne me fatigue jamais de contempler, sous un ciel qui s'obscurcit avec une précision tellement graduelle que l'on croirait l'œuvre de dieux antiques vidant lentement une bouteille d'encre dans l'énorme réservoir à poissons du ciel.

Et quand c'est la pleine lune et que l'arancino que je tiens en main est encore chaud, je sais qu'un pont d'acier ou un sombre tunnel finira bien un jour par remplacer cette traversée, et qu'Ulysse reculera encore davantage dans l'histoire. Mais j'essaie de ranger cette pensée sombre aux oubliettes et, donnant libre cours à mon imagination, je me dis que si le capitaine du ferry-boat était Charon et l'eau agitée par les hélices le fleuve Styx, combien douce serait l'éternité.

Dans l'île de Sardaigne, les hommes d'un certain rang avaient coutume de choisir leurs femmes non pour leur beauté ou leur intelligence, mais pour leur capacité à cuire le pain. Aujourd'hui encore, la confection du pain chez les Sardes, qui en mangent plus que des pâtes, constitue un rite quasi religieux, et une femme qui connaît les arcanes de la cuisson du pain, est toujours considérée comme de caractère solide et d'une compétence hors du commun.

Même si la Sardaigne est un patchwork de cultures, de dialectes et de coutumes, les divinités des céréales ont survécu dans son histoire vieille de près de 2000 ans, et l'on ressent encore leur influence dans les traditions, tant religieuses que profanes, où le pain se révèle un élément primordial. Les jours fériés et à l'occasion des grandes fêtes, on prépare des pani artistici (pains artistiques) spéciaux, propres à illustrer toute l'imagination et l'ingéniosité des donne sarde, les femmes sardes. L'une des variétés de ces pains artistiques apparaît dans chaque maison à Noël et à Pâques, ainsi que les jours de fête des saints importants . D'autres pains sont commandés à l'occasion de repas nuptiaux, baptêmes et autres célébrations. La préparation prend souvent plusieurs jours. Une fois la pâte préparée à base de l'abondant blé dur sarde, elle est découpée ou moulée en des formes complexes (guirlandes, animaux, armoiries), incorporant parfois des œufs entiers, des pommes ou des oranges. Une énorme fierté est placée dans ces créations comme dans toute œuvre d'art.

La raison pour laquelle on accorde autant d'importance au pain dans la culture sarde, découle probablement de ce que pour chaque Sarde résidant sur l'île il y a au moins deux moutons. L'élevage du mouton ou de la chèvre représente donc la profession principale, et le pain, qui se conserve bien, peut être emporté sur les pâturages de montagne, il ne réclame aucune préparation supplémentaire : c'est la nourriture parfaite du berger. Et il reste des

Un homme monté sur une mule près de Laconi en Sardaigne.

◂ *Champs près de Castelvetrano en Sicile.*

bergers sardes qui s'habillent de peaux de mouton, coiffent le béret de leurs ancêtres et vivent comme ils vivaient, surveillant leurs troupeaux vagabonds et se déplaçant avec eux quand l'herbe se fait rare.

Les femmes sardes ont créé le pane carasau, un pain plat si léger et si mince qu'on l'a surnommé carta di musica ou papier à musique. C'est le pain que le berger sarde mange depuis des siècles, plus proche des pains sans levain que l'on trouve au Moyen-Orient ou en Inde que du pain des autres régions d'Italie.

La carta di musica se cuit dans des fours situés à l'extérieur de la maison et chauffés à la paille. On manipule les pains dans le four à l'aide de palettes en fer possédant de longs manches en bois. Les minces feuilles de pain sont presque transparentes quand elles sortent du four en feuilles grillées bien croustillantes, que l'on empile l'une sur l'autre, comme les pages d'un manuscrit ancien, pour les laisser refroidir. La confection de la meilleure carta di musica n'est pas une mince affaire : elle ne doit jamais être brûlée mais, en même temps, elle doit développer à sa surface de minuscules bulles ou fissures, qui procurent au pain son apparence et lui confèrent son goût.

Le pane carasau est l'accompagnement léger par excellence des principaux plats de viande de l'île – cochon de lait rôti garni de romarin ou agneau parfumé à la bruyère. Mais on peut aussi le manger seul, tartiné de pecorino (fromage au lait de brebis) puis plié et servi chaud, ou enduit d'huile d'olive, saupoudré de romarin et réchauffé. Le pecorino sarde comporte plusieurs variétés, qui ont été élaborées par les bergers pour produire des textures différentes, allant du crémeux au croquant, en fonction du vieillissement. La croûte est d'un jaune doré foncé et l'intérieur varie du jaune paille au blanc neigeux.

Le pane frattau, une variante de la carta di musica, constitue un repas à lui seul. Il est composé d'ingrédients des plus simples et représente parfaitement la cucina povera, qui forme le cœur de la cuisine sarde. Trois ou quatre couches de pain de berger sont couvertes de pecorino râpé ; l'on ajoute ensuite un peu de bouillon de bœuf (brodo) ou de sauce tomate, et on glisse finalement un œuf sur le plat au centre de la couche supérieure. Le pane frattau est le parfait symbole de la Sardaigne, rocheuse, croustillante, ensoleillée. Sa translucidité rappelle les eaux limpides ; le blanc et le jaune de l'œuf représentent la généreuse lumière du soleil ; et la surface croquante, croustillante évoque le caractère sarde, dur à pénétrer au début, mais qu'un sourire ou une plaisanterie suffit à dérider.

Les vieilles coutumes et traditions restent toujours excessivement vivantes en Sardaigne : elles le doivent au terrain accidenté et à l'isolement d'une grande partie de l'île. De plus, la langue sarde s'y est développée indépendamment de l'italien parlé sur le continent et elle conserve certains traits archaïques, qui lui confèrent un charme mélodieux, avec des pointes de sifflement. Les raviolis, par exemple, s'appellent ici purlurgiones ou culingiones (recette page 236) ; en Sarde, les gnocchi sont connus sous le nom de malloreddus.

En dehors des zones touristiques, la cucina povera est encore la base de toute la cuisine sarde et elle maintient son caractère d'alimentation simple, nourrissante, fondée sur des viandes rôties avec des herbes sur un feu ouvert, des légumes préparés à l'huile d'olive, du fromage de brebis ou de chèvre, et des friandises faites de miel et de noix.

Carta di musica, "pain papier à musique", à l'Albergo Sacchi, près de Nuoro en Sardaigne.

Pane frattau, fait de carta di musica, de sauce tomate, d'œuf et de fromage, à l'Albergo Sacchi. ▸

Il y a même le caviar du pauvre – la bottarga, faite d'œufs de thon ou de mulet. Les œufs sont extraits immédiatement après la capture du poisson, quand le sac ovarien est encore intact ; ils sont ensuite salés, séchés et comprimés en un bloc. La meilleure bottarga de Sardaigne est produite par le mulet qui peuple la lagune de Cabras. On la mange comme un hors-d'œuvre, découpée en fines lamelles, sur des morceaux de pain garnis d'huile d'olive ou de citron, ou alors on la râpe abondamment par-dessus des spaghettis très chauds.

En dépit de la présence de nombreux assemblages préhistoriques – les célèbres nuraghi – omniprésents dans l'île, une légende veut que la Sardaigne ait été créée tardivement, à partir d'un morceau de terre dont les dieux ne savaient que faire quand ils eurent terminé de constituer le monde. Ce qu'ils jetèrent dans la Méditerranée se changea en un festin somptueux composé de restes. De longues plages de sable d'un blanc de perle s'étendent près de Cagliari, capitale et port commercial sur la côte sud de l'île ; sur la côte nord, les vents qui descendent de France en traversant la Corse, ont sculpté des formations rocheuses stupéfiantes. L'intérieur de la Sardaigne est fait de montagnes, entrecoupées de gorges et de rivières spectaculaires. Certaines des montagnes abritent des grottes remarquables, comme celles de Capo Caccia et de Cala Gonone. Du nord-ouest de Cagliari à Oristano sur la côte occidentale, s'étend le Campidano, une plaine fertile qui s'allonge jusqu'à la péninsule de Sinis, où des flamants roses hantent des lagunes peu profondes et où des mines de sel aux aspects mystérieux créent des dunes semblables à un désert.

Mais le paradis sarde composé de plages superbes bordées d'eaux limpides se modifie lentement, en particulier à cause de l'industrie du tourisme en plein essor et de l'édification des inévitables complexes hôteliers, dont les plus spectaculaires sont les constructions de luxe de la Costa Smeralda (la Côte d'émeraude), bâties par l'Aga Khan sur une partie de la côte nord-est. S'il est vrai que ces ensembles ont peu de choses en commun avec les valeurs traditionnelles représentées par la cuisson du pain et l'élevage des moutons sardes, ils ont en même temps apporté renommée, emplois et richesse considérable à ce qui n'était précédemment que plages abandonnées.

La transition entre une économie traditionnelle basée sur l'élevage du mouton et une économie fondée sur le tourisme ne sera pas facile et jettera inévitablement le trouble dans le caractère de ce qui reste d'un petit coin de paradis, où autrefois les gens tiraient fierté de choses simples, se louaient mutuellement pour leur bon sens, et racontaient à leurs fils qu'une femme qui avait assez de talent pour cuire du pain aussi mince que du papier, devait avoir bon cœur.

Louis Inturrisi

◂ Sallasicce (une sorte de saucisse), agnello (agneau), et maialino (cochonnet), rôtissant sur des broches à l'Albergo Sacchi sur le Monte Ortobene, près de Nuoro en Sardaigne.

Un hors-d'œuvre du nom de grive fait de tordi (grives) bouillis et servis froids avec du myrte et du sel au restaurant Sa Cardiga e su Schironi à Cagliari, la capitale de la Sardaigne.

Ingrédients crus de la frittedda, la minestra di primavera en dialecte sicilien, à Terra Rossa (la recette à droite, utilise des oignons printaniers au lieu des oignons jaunes figurant sur cette photographie).

Ce plat est confectionné à l'occasion de la Saint-Joseph, le 19 mars, une fête de printemps extrêmement importante en Italie. La frittedda peut se servir en entrée ou comme sauce pour les pâtes. Une version propre à Palerme utilise une sauce aigre-douce ; à Taormine, l'on ajoute des fanes de fenouil sauvage.

Frittedda Légumes printaniers braisés

À la façon de Mme Martorana de Terra Rossa, Taormine

Pour 6 personnes

900 g de pois verts frais
900 g de fèves fraîches
6 artichauts frais ou 6 cœurs d'artichauts coupés en fines tranches, en boîte ou surgelés
2 cuillerées à soupe de jus de citron
300 g de bulbes d'oignons printaniers coupés finement, et des fanes vertes hachées finement
90 ml d'huile d'olive
Sel et poivre
Du beurre (facultatif)

Écossez les pois et les fèves. Pour préparer les artichauts frais, enlevez toutes leurs feuilles extérieures en les cassant net au-dessus de la partie blanche à la base de la feuille. Lorsque vous aurez atteint le "cône" intérieur, là où la longueur des têtes vertes des feuilles se limite à 2,5 cm, coupez ces têtes. Puis pénétrez à l'intérieur du foin de l'artichaut à l'aide d'un couteau arrondi ou d'une cuillère aux bords tranchants, afin d'ôter les feuilles intérieures ainsi que les petits poils (la "barbe") qui se trouvent sous celles-ci. Taillez un peu plus de la partie verte extérieure des feuilles à la base de chaque artichaut et coupez les queues. Laissez couler goutte à goutte du jus de citron sur les artichauts préparés pendant que vous achevez les autres, afin d'éviter le brunissement.

Coupez verticalement les artichauts en fines tranches, et mettez les morceaux à tremper dans de l'eau additionnée de jus de citron.

Faites sauter les bulbes d'oignons printaniers coupés finement avec l'huile d'olive dans une grande poêle à frire, ajoutez ensuite les cœurs d'artichauts égouttés, assaisonnez et cuisez doucement à feu moyen jusqu'à ce que les artichauts soient à moitié cuits. La durée de cuisson dépendra de la variété utilisée ; ajoutez jusqu'à 60 ml d'eau si nécessaire. Puis ajoutez les fèves et les pois, versez 125 ml d'eau, couvrez et faites cuire pendant 10 à 15 minutes.

Quand les légumes sont prêts à être servis, ajustez l'assaisonnement à votre goût. Vous pouvez également adjoindre quelques gouttes de jus de citron et du beurre. Garnissez de fanes d'oignons printaniers hachées finement et servez.

Un homme labourant son vignoble à Ummari en Sicile.

EN FACE ▸
Ingrédients de la frittedda prêts à être assemblés à Terra Rossa.

Les culingiones, les raviolis sardes les plus courants, qui ont reçu une forme décorative et ont été posés sur des feuilles de citron au restaurant Su Meriagu à Cagliari.

En raison de la prédominance du pain il n'existe que trois plats locaux de pâtes en Sardaigne : les malloreddus, de petites boulettes, parfumées au safran et servies avec une sauce tomate épicée et du pecorino ; les ciciones, de minuscules boulettes parfumées au safran et garnies de jus de rôti ou d'une sauce tomate ; et les culingiones, que vous allez découvrir.

Culingiones Raviolis sardes

À la façon des sœurs Laconi du restaurant Su Meriagu, Cagliari

Pour 4 personnes

Les pâtes :

350 g de farine de blé dur
4 œufs
Une pincée de sel

La farce :

300 g d'épinards frais
1 cuillerée à soupe de sel
30 g de beurre
3 œufs
1 cuillerée à soupe de farine
1 cuillerée à soupe de poivre
1 petite pincée de safran en poudre
1 petite pincée de noix muscade râpée
225 g de pecorino sarde ou de pecorino romano fraîchement râpé

La garniture :

De la sauce tomate (recette page 218)
4 cuillerées à soupe de feuilles de basilic frais rincées et hachées finement
60 g de pecorino fraîchement râpé

Réalisez la pâte sur base des ingrédients énumérés ci-dessus, en vous conformant aux instructions figurant à la page 247. Laissez-la reposer dans un linge durant environ 15 minutes.

Pour faire la farce, mettez 2,5 cm d'eau dans une grande marmite. Lavez les épinards et retirez-en les tiges. Quand l'eau bout, ajoutez le sel, couvrez, et cuisez les épinards pendant 2 minutes, en remuant une seule fois. Puis égouttez-les, refroidissez-les, séchez-les en pressant et hachez-les finement. Faites sauter légèrement les épinards dans une casserole avec le beurre ; mélangez ensuite les épinards dans un bol avec le reste des ingrédients pour la farce.

Préparez la pâte destinée aux culingiones en suivant les indications pour les pâtes farcies qui se trouvent en page 247 ; chacun des raviolis devra avoir environ 5 cm de long, afin qu'il y ait assez de pâte pour plier. Placez des cuillerées à soupe de farce sur les morceaux de pâte, puis repliez la pâte par-dessus la farce pour la couvrir, scellez les bords parfaitement et coupez les culingiones en vous servant d'un emporte-pièce. (En Sardaigne, les culingiones traditionnels sont réalisés en forme de demi-lune : on coupe la pâte en disques de 7,5 cm, on dépose la farce sur le disque, on replie le disque et on pince au niveau des bords.)

Cuisez les culingiones dans une grande quantité d'eau bouillante salée, pendant 10 minutes. Égouttez et servez avec une garniture de sauce tomate fraîche, de basilic haché fin et de pecorino râpé.

1. *Une mère et son enfant dans une ferme à Ummari en Sicile.*
2. *Du pain et du pecorino en Sardaigne.*
3. *Des abats de bœuf pendant dans la rue à Mazara del Vallo, au sud de Marsala en Sicile.*
4. *Un étalage de saveurs fort appréciées en Sardaigne : une assiette de feuilles de myrte, de tomates et de piments du Chili séchés, ainsi que du sel, au restaurant Su Meriagu à Cagliari.*
5. *Un bocal d'olives siciliennes conservées dans du vinaigre et des herbes au marché de Taormine.*
6. *Poulets et lapins au marché de Licata, sur la côte sud de la Sicile.*
7. *Une portion d'anguilles cuites avec des feuilles de laurier et du sel au restaurant Sa Cardiga e su Schironi près de Cagliari en Sardaigne.*
8. *Une autre version des culingiones, à l'Albergo Sacchi sur le Monte Ortobene, en Sardaigne.*
9. *Une jeune sicilienne photographiée dans une ville des collines environnant Taormine en 1957.*

1
2
3
4
5
6
7
8
9

Pasta con le Sarde Pâtes aux sardines

À la façon de Mme Martorana de Terra Rossa, Taormine

Pour 4 personnes

1 bulbe de fenouil avec sa verdure
1 bon oignon épluché et haché finement
80 ml d'huile d'olive
1 cuillerée à soupe de concentré de tomate
40 g de raisins secs trempés dans de l'eau chaude
40 g de pignons
10 sardines fraîches, nettoyées, dont on aura retiré les arêtes et les têtes (vous pouvez utiliser des sardines en boîte, si nécessaire, rincées et égouttées)
Sel et poivre
4 filets d'anchois conditionnés dans de l'huile
300 g de macaronis ou de spaghettis secs

Pasta con le sarde prête à être dégustée à Terra Rossa. Cette méthode qui consiste à saupoudrer les aliments de chapelure plutôt que de fromage, était traditionnellement un moyen pour les pauvres d'ajouter du volume et de la saveur à leurs plats.

Cuisez le fenouil dans une grande quantité d'eau bouillante salée, durant environ 10 minutes, jusqu'à ce qu'il soit tendre. Égouttez en récupérant l'eau de cuisson du fenouil dans une autre grande marmite : vous la conserverez pour une utilisation ultérieure. Tapotez le fenouil pour le sécher parfaitement et hachez-le finement.

Dans une grande casserole, faites sauter votre oignon dans 50 ml d'huile d'olive, puis ajoutez le concentré de tomate dilué dans 60 ml de l'eau de cuisson du fenouil, les raisins secs égouttés et les pignons. Laissez mijoter pendant environ 5 minutes. Ouvrez les sardines à plat et ajoutez-les aux autres ingrédients qui sont en train de mijoter. Au terme de 10 nouvelles minutes, ajoutez le fenouil haché finement. Assaisonnez de sel et de poivre, couvrez et cuisez à feu moyen durant environ 5 minutes, en retournant les poissons de temps en temps, jusqu'à ce qu'ils soient cuits.

Faites sauter les anchois dans une petite casserole à feu doux avec les 30 ml d'huile d'olive restants, jusqu'à ce qu'ils se décomposent, et ajoutez-les ensuite avec leur huile au mélange de sardines.

Faites bouillir l'eau de cuisson du fenouil que vous aviez mise de côté, ajoutez davantage d'eau si nécessaire, et cuisez les pâtes jusqu'à ce qu'elle soit *al dente*. Égouttez et garnissez de sauce, disposez les sardines sur les pâtes et servez.

Un berger avec son troupeau sur la plage près de Licata en Sicile.

◂ *Les ingrédients de la pasta con le sarde à Terra Rossa, près de Taormine en Sicile.*

La pasta ditali con cavolfiore à la façon de Marie-Louise Martorana à Terra Rossa.

PAGE D´EN FACE ▸
Ingrédients de la pasta ditali con cavolfiore à la façon de Marie-Louise Martorana à Terra Rossa, près de Taormine en Sicile.

Ditali con Broccoli o Cavolfiore

Ditali avec brocoli ou chou-fleur

À la façon de Mme Martorana de Terra Rossa, Taormine

Pour 4 personnes

2 tiges de brocoli ou 1 chou-fleur moyen, lavés et coupés
70 ml d'huile d'olive
1 oignon épluché et haché finement
1 pointe de safran en poudre dissous dans 15 ml d'eau
6 filets d'anchois à l'huile
60 g de pignons grillés au four
120 g de raisins secs trempés dans de l'eau chaude
650 g de ditali ou de n'importe quel macaroni court
60 g de pecorino sarde ou de pecorino romano arrivé à maturité, râpé
4 cuillerées à soupe de feuilles de basilic frais rincées et hachées finement

Cuisez les fleurons de brocoli ou de chou-fleur dans une grande quantité d'eau bouillante salée jusqu'à ce qu'ils soient *al dente*. Égouttez en récupérant l'eau de cuisson des légumes dans une autre grande marmite : vous la conserverez pour une utilisation ultérieure.

Versez 40 ml d'huile d'olive dans une grande poêle à frire et faites sauter l'oignon finement haché à feu doux ; ajoutez ensuite le safran. Placez-y les fleurons de brocoli ou de chou-fleur, et couvrez.

Faites bouillir l'eau récupérée de la cuisson des légumes. En même temps, cuisez dans une petite casserole les anchois, dans les 30 ml d'huile d'olive restants, jusqu'à ce qu'ils se décomposent. Ajoutez-les au mélange de brocoli ou de chou-fleur, en compagnie des raisins secs égouttés et des pignons grillés.

Remuez la sauce, cuisez pendant 5 minutes, puis retirez du feu. Pendant ce temps, cuisez les pâtes dans l'eau bouillante des légumes jusqu'à ce qu'elle soit *al dente*, puis égouttez et mélangez aux légumes dans un grand bol de service. Servez après avoir saupoudré de fromage râpé et de basilic haché fin.

Les pâtes sont le plat principal de la cuisine de l'Italie méridionale. Il s'agit d'un piatto unico, d'un repas complet, quand ces pâtes sont servies avec des ingrédients variés. Voici un exemple très simple, venu de Terra Rossa, une petite colonie de vacances près de Taormine, mise sur pied par la famille Martorana.

Deux femmes discutant dans une ruelle à proximité du port de Licata, sur la côte sud de la Sicile.

Pasta con Aglio Pâtes à l'ail

À la façon de Mme Martorana de Terra Rossa, Taormine

Pour 4 personnes

80 g d'amandes décortiquées et hachées
6 gousses d'ail épluchées
6 tomates fraîches mûres, pelées
Sel et poivre
9 cuillerées à soupe de feuilles de basilic frais rincées et hachées gros
50 ml d'huile d'olive
600 g de macaronis secs

Grillez les amandes dans un plat à four, thermostat 120° C, en gardant un œil dessus, pour éviter qu'elles ne brûlent. Puis pilez l'ail, les tomates, les amandes et le basilic ensemble dans un grand mortier, ou passez-les au mixer. Assaisonnez, ajoutez l'huile d'olive et mélangez convenablement. (Si vous avez recours à un mixer, mêlez l'huile au reste à la main, avec une cuillère en bois.)

Cuisez les macaronis dans une grande quantité d'eau bouillante salée. Quand la cuisson est achevée, égouttez les macaronis, nappez-les de la sauce et servez.

Cuscus con Pesce Couscous au poisson

À la façon de M. Catalano de l'hôtel Moderno, Erice

Pour 4 personnes

Aromates (5 grains de poivre, 2 feuilles de laurier, 1 petite pincée de cannelle, 1 pincée de sel, 1 gousse d'ail)
Une boîte de 300 g de couscous
1 oignon épluché et haché fin
80 ml d'huile d'olive extra-vierge
15 g de beurre
Sel et poivre
3 gousses d'ail épluchées et hachées
230 g d'amandes décortiquées et hachées finement, grillées au four
450 g de tomates fraîches épépinées
1 piment du Chili épépiné et haché
900 g d'un assortiment de filets de poissons (cabillaud, sole, etc.)
3 cuillerées à soupe de persil haché fin
225 ml de vin blanc

Mettez les aromates dans 500 ml d'eau, dans le fond d'un bain-marie, et portez l'eau à ébullition. Placez le couscous dans une passoire qui s'adaptera sur la marmite. Faites couler de l'eau froide sur le couscous, en mélangeant les grains à la main, afin de garantir une humidification bien régulière. Égouttez, puis étalez le couscous sur une plaque à pâtisserie et laissez-le reposer durant 10 minutes. Dans une casserole de taille moyenne, faites sauter l'oignon haché fin dans 50 ml d'huile d'olive, jusqu'à ce qu'il soit translucide.

Retirez le couscous de la plaque à pâtisserie et, après avoir éliminé tout grumeau, placez le couscous dans la passoire et disposez-le par-dessus l'eau bouillante. Ajoutez l'oignon et l'huile au couscous, avec le beurre, le sel et le poivre, et remuez le tout. Laissez-le cuire à la vapeur pendant environ 15 minutes, en le couvrant aussi bien que possible et en remuant à quelques reprises, afin d'éliminer tout grumeau. Puis retirez le couscous de la chaleur et maintenez-le couvert.

Pendant ce temps, faites sauter l'ail dans une grande marmite dans 30 ml d'huile d'olive, avec les amandes et les tomates. Assaisonnez et ajoutez le piment du Chili. Cuisez durant environ 10 minutes, puis ajoutez le poisson en morceaux, en plaçant les espèces les plus délicates au-dessus, et 2 cuillerées à soupe de persil. Ajoutez le vin blanc et laissez la soupe mijoter pendant quelques minutes, puis couvrez et cuisez pendant environ 20 minutes, en ajoutant jusqu'à 125 ml d'eau si nécessaire pour garantir l'humidification.

Quand la soupe de poisson est prête, placez le couscous dans un grand bol chauffé, répartissez la soupe à la louche tout autour du couscous et garnissez avec 1 cuillerée à soupe de persil.

Un pêcheur et son filet à Licata, sur la côte sud de la Sicile.

◂ *Coquillages dans des paniers au restaurant Sa Cardiga e su Schironi, à Cagliari en Sardaigne. Dans le sens des aiguilles d'une montre, à partir du haut à gauche : cannolicchi (couteaux), cozze (moules), granchetti (petits crabes), arselle (petites palourdes), fasolari (clams roses), tartufi di mare (clams Vénus), et ostriche (huîtres).*

Spaghetti coi Granchi Spaghettis à la sauce au crabe

À la façon du restaurant Sa Cardiga e su Schironi, Cagliari

Pour 4 personnes

1 gousse d'ail épluchée et hachée
1 piment du Chili épépiné et haché
100 ml plus 25 ml d'huile d'olive
450 g de chair de crabe, en morceaux
1 petite pincée de sel
250 g de tomates fraîches épépinées et hachées gros
2 cuillerées à café de persil haché fin
450 g de spaghettis ou de linguine

Chauffez l'ail et le piment du Chili dans une poêle à frire avec 100 ml de l'huile d'olive. Ajoutez le crabe en morceaux, puis les tomates. Mijotez jusqu'à ce que toute l'eau se soit évaporée ; ajoutez ensuite le sel et le persil.
Cuisez les pâtes dans une grande quantité d'eau salée jusqu'à ce qu'elles soient *al dente*. Égouttez, nappez de la sauce et de l'huile d'olive, et servez.

Spaghetti coi granchi prêts à être servis au restaurant Sa Cardiga e su Schironi.

Oranges et citrons en vente sur une chaise à Calatafimi, Sicile.

Arancini di Riso Boules de riz "petite orange"

À la façon de Mme Martorana de Terra Rossa, Taormine

Pour 6 personnes

Sel
400 g de riz Arborio
50 ml d'huile d'olive
30 ml de sauce tomate
30 g de caciocavallo râpé
Poivre
40 g de pignons
1/2 oignon épluché et haché fin
2 cuillerées de concentré de tomate
225 g de bœuf haché maigre
40 g de raisins secs
110 ml de vin blanc sec
100 g de dés de fromage primo sale ou fontina (chaque dé ayant 0,5 cm)
50 g de dés de mortadella (chaque dé ayant 0,5 cm)
125 g de farine
2 œufs battus
100 g de chapelure ordinaire en poudre
De l'huile végétale pour la friture

Faites bouillir 3 litres d'eau dans une grande casserole, ajoutez 2 cuillerées à soupe de sel et le riz. Rétablissez l'ébullition, réduisez la chaleur et laissez mijoter jusqu'à ce que le riz soit al dente, environ 20 minutes. Égouttez le riz, puis mélangez-le dans un bol à 40 ml d'huile d'olive, la sauce tomate, le fromage caciocavallo râpé. Salez et poivrez à volonté. Étalez le riz sur une plaque à pâtisserie et laissez-le refroidir pendant 2 heures.

À peu près 1/2 heure avant que le riz soit parfaitement froid, grillez les pignons dans un plat à four, thermostat 120° C, en les surveillant bien, pour éviter qu'ils ne brûlent. Faites sauter l'oignon dans 10 ml d'huile d'olive, dans une casserole, ajoutez le concentré de tomate, remuez, et cuisez durant 2 minutes. Ensuite, ajoutez le bœuf haché, les raisins secs, les pignons et le vin, remuez, et cuisez pendant environ 20 minutes, en assaisonnant de 2 pincées de sel et 1 pincée de poivre. Puis, retirez la casserole du feu et ajoutez le fromage primosale et la mortadella. Mélangez ces ingrédients avec le riz dans un large bol. Ajoutez une nouvelle fois 2 pincées de sel et 1 pincée de poivre.

Confectionnez à l'aide du mélange des boules bien rondes et lisses, de la taille de petites oranges (pour de meilleurs résultats, donnez une forme un peu ovoïde aux boules). Roulez les boules d'abord dans de la farine, puis dans de l'œuf, et finalement dans la chapelure. Faites-les frire dans l'huile à feu moyen, jusqu'à ce qu'elles soient parfaitement dorées. Égouttez et servez.

Insalata di Arancie Salade d'oranges

À la façon de Mme Martorana de Terra Rossa, Taormine

Pour 4 personnes

5 oranges juteuses sans pépins
50 ml d'huile d'olive
Sel
1 petit oignon rouge
1 cuillerée à soupe de fenouil haché fin
1 cuillerée à soupe de persil haché fin

Pelez les oranges, en enlevant au maximum leur intérieur blanc, et coupez-les ensuite en fines tranches. Disposez-les sur une grande assiette, aspergez-les d'huile d'olive et assaisonnez. Épluchez l'oignon et coupez-le en minces rondelles ; trempez les rondelles dans de l'eau glacée si le goût est trop prononcé.

Inclinez l'assiette de service et, à l'aide d'une grande cuillère, recueillez l'huile d'olive et les jus, pour arroser les oranges. Égouttez les rondelles d'oignon et ajoutez-les aux oranges. Arrosez de telle façon que davantage de jus vienne se mêler à l'huile ; on peut également ajouter du fenouil et du persil. Laissez la salade d'oranges sans la bouger pendant 1/2 heure au moins, pour permettre aux parfums de se mélanger, et servez.

Les ingrédients et le résultat final de l'insalata di arancie à Terra Rossa. ▸

Appendice

Chaque région d'Italie, peut-être même chaque cuisinier, conçoit sa propre méthode pour fabriquer les pâtes, l'aliment le plus apprécié et le plus important du pays. Voici un procédé des plus simples : on peut l'utiliser seul ou s'en servir comme fil conducteur pour les autres recettes de pâtes du présent ouvrage.

Pâte de base aux œufs

Proportions :

Pour 3 ou 4 personnes : 250 g de farine, 2 œufs
Pour 5 ou 6 personnes : 375 g de farine, 3 œufs
Pour 7 ou 8 personnes : 500 g de farine, 4 œufs
(ces proportions sont augmentées dans les recettes de pâtes farcies)

Consultez votre recette pour connaître toutes les proportions spécifiques de farine, d'œufs ou des autres ingrédients requis.
Mettez la farine sur une plaque à pâtisserie ou dans un grand bol à mélanger. Faites un puits en son centre et cassez les œufs dans ce puits. À l'aide d'une fourchette, battez les œufs, tout en y incorporant petit à petit la farine. Si d'autres ingrédients sont prévus dans votre recette de pâtes, vous pouvez les ajouter à ce stade.
Lorsque la pâte s'est suffisamment épaissie et que les œufs sont complètement intégrés à la farine, c'est le moment de pétrir la pâte. Si vous avez utilisé un bol, transférez la pâte sur un plan de travail bien plat pour la pétrir. Saupoudrez légèrement vos mains de farine.
Travaillez la pâte de vos mains jusqu'à ce qu'elle forme une boule. Éliminez les éventuels morceaux de farine ou de pâte qui n'auraient pas été parfaitement intégrés dans la préparation. Pétrissez durant 5 minutes, en repliant la pâte vers vous, puis en la repoussant avec le talon de la main, tout en tournant la pâte d'un quart de tour entre deux replis. Vous devrez peut-être, durant ces opérations, ajouter un peu de farine à la pâte et/ou sur vos mains, si la pâte se met à coller. Quand vous avez achevé de pétrir et que la pâte est belle et lisse, enveloppez-la dans un linge propre et humide, et laissez-la reposer 10 minutes. Divisez la pâte en 6 morceaux.

Pour des pâtes farcies :
Si vous utilisez une machine à pâtes, faites passer chaque morceau de pâte à travers la machine, en commençant par la plus grande épaisseur et en descendant à chaque passage à l'épaisseur immédiatement inférieure. L'avant-dernier niveau d'épaisseur convient parfaitement pour la réalisation des raviolis, tortellini et autres pâtes farcies.
Après l'avoir aplanie, laissez reposer la pâte pendant environ 15 minutes ou jusqu'à ce qu'elle paraisse sèche au toucher. Mettez une cuillerée de votre farce tous les 5 cm environ, formant ainsi des rangées de petits tas de farce, ceci sur 3 des feuilles de pâte. Si votre recette donne des instructions différentes, conformez-vous à ces dernières. Placez les 3 autres feuilles de pâte par-dessus les 3 premières et, avec les doigts, appuyez tout autour des petits tas de farce, de manière à sceller les chaussons ainsi constitués. (Vous pouvez, à l'aide d'un pinceau, enduire les endroits qui doivent être scellés d'un peu de jaune d'œuf battu ou d'un peu d'eau, pour garantir une fermeture solide). Pour finir, utilisez une roulette à pâtes pour découper la pâte autour des petits tas de farce, en carrés de raviolis individuels. Laissez reposer les raviolis quelques minutes, sans les manipuler, avant de les cuire dans 8 à 10 l d'eau bouillante salée pendant 3 à 4 minutes.
Pour fabriquer des tortellini, coupez les feuilles de pâte en carrés de 5 cm, en vous servant d'un couteau à pâtes. Mettez une petite cuillerée de votre farce sur chaque carré, humectez les bords, repliez la pâte pour en faire un triangle, et scellez sur tout le pourtour. Tournez le bord rectiligne du chausson autour de votre index et pressez les extrémités ensemble, pour réaliser les tortellini. Pour la cuisson, procédez comme indiqué plus haut.

Pour des tagliatelles :
Si vous utilisez une machine à pâtes, suivez les instructions données pour les raviolis, mais aplanissez la pâte en la faisant passer jusqu'au tout dernier réglage y compris, soit l'épaisseur la plus fine. Après l'avoir aplanie, laissez reposer la pâte pendant environ 15 minutes ou jusqu'à ce qu'elle paraisse sèche au toucher. Enroulez chaque feuille de pâte et coupez les rouleaux horizontalement en bandes de 0,5 cm, en vous servant d'un couteau pointu (ou laissez les feuilles de pâte à plat et passez-les à travers les lames les plus larges de la machine à pâtes). Démêlez ces bandes et vous obtiendrez vos tagliatelles. Laissez reposer les bandes durant environ

10 minutes, sans les manipuler, sur du papier paraffiné, puis cuisez-les pendant 1 minute, dans 8 à 10 l d'eau bouillante salée.

Si vous fabriquez les pâtes à la main à l'aide d'un rouleau à pâtisserie, aplanissez la pâte jusqu'à une épaisseur d'à peu près 0,3 cm pour les pâtes farcies et d'à peu près 0,15 cm pour les tagliatelles.
Quand vous avez eu fini de pétrir la pâte et l'avez laissée reposer dans un linge, divisez-la en 4 sections. Aplatissez chacune de ces sections à la main jusqu'à obtenir un rectangle d'environ 2,5 cm d'épaisseur, saupoudrez légèrement ce dernier de farine et continuez de l'aplanir jusqu'à l'épaisseur souhaitée, à l'aide d'un rouleau à pâtisserie suffisamment lourd, en veillant soigneusement à ce que la pâte n'attache pas à la surface de travail. Soulevez la pâte avec précaution et saupoudrez de la farine sous la pâte si elle commence à attacher. Quand la pâte est parfaitement aplanie, laissez-la reposer durant 15 minutes, puis continuez de suivre les indications de votre recette ou les instructions ci-dessus.

Remerciements

J'ai eu l'occasion de mentionner dans mon introduction certaines des personnes qui m'ont aidé à réaliser cet ouvrage, mais il me fallait davantage de place pour remercier toutes les autres.

D'abord et surtout, je dois exprimer ma profonde gratitude à un groupe de gens extrêmement créatifs qui œuvrent au sein du London Sunday Times Magazine. Ce sont eux qui ont rendu ce livre possible, en me confiant la mise sur pied d'une série d'articles en neuf parties sur ce qu'ils intitulèrent "The Taste of Italy". (Cette série faisait suite à un projet antérieur que nous avions mené à bien ensemble, "The Taste of France").

Sous la direction de tous les moments de Michael Rand, l'âme créative et le directeur du magazine, et de l'indispensable Suzanne Hodgart, le Times effectua toute la recherche préliminaire que nécessite l'approche d'un pareil projet, et il m'apporta un appui parfait tout au long des mois de la réalisation du travail.

Le Times s'assura les talents de Claudia Roden, auteur de best-sellers sur la cuisine du Moyen-Orient et de la Méditerranée, pour rédiger les textes destinés au "The Taste of Italy". La série fut judicieusement éditée par Brenda Jones, et somptueusement mise en forme par Gilvrie Misstear.

Le succès de cette série m'encouragea à réunir des photographies originales pour le livre, à partir d'au moins trois autres voyages en Italie – certains accomplis plusieurs années auparavant, et un tout dernier effectué récemment pour combler les dernières lacunes.

L'ensemble du projet s'étala sur une période de deux ans, y compris six mois sur les routes d'Italie, en parcourant quelque 50 000 kilomètres. Une tâche gigantesque, impossible à réaliser sans l'appui essentiel de Marilyn Costa, tout à la fois notre interprète, notre chercheuse et notre guide, et celui de Vicki Emmett, qui m'assista pour tout ce qui touche à la photographie. Un mérite supplémentaire à mettre à leur crédit : celui d'avoir apporté, avec une patience d'ange, le ciment indispensable au comportement capricieux et impulsif du photographe qui vous parle !

On ne peut évidemment imaginer un tel projet de livre mené à bien par une seule personne.

Quand je fus de retour aux États-Unis, l'aide constante et les conseils judicieux de mes agents Peter Schub et Robert Bear nous permit de nous attacher l'expérience précieuse de l'édition que possède Nicholas Callaway : le pas décisif était franchi pour réaliser bien plus qu'un simple "livre de cuisine".

Les douze mois suivants, je fus littéralement pris par la main, grâce au soutien de tout un chacun aux Éditions Callaway, et mené au travers des différentes étapes de la préparation du présent ouvrage. Les qualités d'éditrice d'Alexandra Arrowsmith, sa minutie méthodique et analytique, furent déterminantes pour séparer l'essentiel de l'insignifiant, tant dans le texte que pour les recettes et les légendes des photographies.

True Sims mit au point les plans de production, et Toshiya Masuda, assisté d'Ivan Wong Jr., traduisit l'ensemble du projet en termes de maquette, en coordonnant ma sélection de photographies avec les exigences du texte et de la fabrication.

Sur les recommandations de Nicholas Callaway, je me suis assuré les talents de Bert Clarke comme typographe. Il m'a appris l'équilibre harmonieux à instaurer entre le texte et l'image au sein d'une même page.

Je dois faire part de ma gratitude à Charles Melcher, éditeur chez Callaway, qui n'eut pas son pareil pour apaiser nos états d'âme dans les moments d'abattement ou d'agitation. Un "merci" tout particulier aussi à Norma Spriggs, pour avoir coordonné chez Schub et Bear, avec une patience merveilleuse, tous nos efforts dans le cadre de ce projet.

Nous avons essayé de citer tout au long des pages de ce livre les localités et les noms de tous ces gens en Italie, ces chefs, ces cuisiniers et ces propriétaires de restaurant qui nous ont apporté leur aide et accordé l'hospitalité. J'espère n'avoir oublié aucun de ces héros méconnus qui ont relevé le défi avec nous.

Tous ces voyages en terre italienne m'ont appris deux choses : la patience avec les conducteurs italiens ! et l'admiration pour le professionnalisme de toutes les personnes qui sont impliquées dans cet art véritable que constitue la cuisine italienne. Cultiver les ingrédients, les préparer, les présenter à table : à tous les stades se retrouve chez ces gens le même talent, un talent au service de leurs compatriotes mais aussi des millions d'entre nous qui se rendent dans la péninsule pour goûter à son hospitalité et à son histoire.

Je dédie finalement ce livre, avec amour, à ma femme, Jeannette, qui m'a accompagné chaque fois que possible, pour me faire bénéficier de son goût infaillible et de sa grande compréhension de l'art et de l'histoire de l'Italie.

À notre fille, Babette, que ce livre rende hommage à sa patience quand elle nous attendait tout en poursuivant ses études médicales à New York.

Robert Freson

Un mot des auteurs

Auteurs

CAROL FIELD est l'auteur de *The Hill Towns of Italy* (E.P. Dutton, 1983), de *The Italian Baker* (Harper & Row, 1985) et de *Celebrating Italy* (Morrow, 1990). Elle vit à San Francisco.

LESLIE FORBES a écrit et illustré *A Table in Tuscany : Classic Recipes from the Heart of Italy* (édition en format livre de poche Chronicle Books, 1991) et, plus récemment, *Remarkable Feasts* (Simon & Schuster, 1991). Elle vit à Londres.

BARBARA GRIZZUTI-HARRISON est l'auteur de *Italian Days* (Weidenfeld & Nicolson, 1989). Elle a publié dans *Harper's Magazine* et *The Nation*, et dans de nombreux autres périodiques, et a été récompensée par le prix O'Henry pour les œuvres de fiction courtes en 1989.

LOUIS INTURRISI est un écrivain free-lance dans le domaine de la cuisine et de la culture italiennes. Il vit à Rome et a été publié dans *Gourmet, HG*, ainsi que dans *The New York Times.*

BEATRICE MUZI est une femme sculpteur et écrivain, née dans les Marches. Elle a fondé et dirige la Scuola Italiana del Greenwich Village à New York. Elle est coauteur de *La Cucina Picena* (Padua : Muzzio, 1991), une étude sur la cuisine paysanne indigène de sa région natale, en collaboration avec Allan Evans, un musicologue, qui a également apporté son concours au texte de Beatrice Muzi dans le présent ouvrage.

PAOLA PETTINI est une historienne de l'alimentation qui dirige une école de cuisine à Bari. Elle a servi de conseillère à Robert Freson dans les Pouilles et a aussi contribué à plusieurs recettes du livre.

VITO QUARANTA est un fin connaisseur de la cuisine italienne et il est membre de la Cordon Bleu Association. Il vit à Vérone et a servi de conseiller à Robert Freson en Vénétie.

NADIA STANCIOFF est à Londres la directrice des relations publiques de la chaîne d'hôtels d'importance mondiale Orient-Express. Elle a souvent écrit pour *Gourmet magazine* et a vécu pendant seize années en Ombrie.

SAM TANENHAUS écrit souvent dans des revues comme *Commentary* et *The New Criterion* à propos de l'art et de la culture en Italie, pays qu'il arpente depuis de longues années.

VANESSA SOMERS-VREELAND est une artiste britannique, romaine d'adoption. Avec son mari, l'ambassadeur des États-Unis au Maroc, elle est le coauteur du guide de Rome Access, pour lequel ils ont remporté la médaille d'argent du tourisme de Rome.

Recherche de recettes

MARILYN COSTA est née à Sydney, en Australie, où elle a aussi accompli ses études. Elle vit maintenant et travaille comme conseillère free-lance à Turin. Une longue histoire d'amour avec la cuisine italienne lui a valu une contribution à la série "*Taste of Italy*", pour le London Sunday Times, en 1988, en tant que chercheuse et coordinatrice des photographies.

Test des recettes

JOHANNA SEMPLE a commencé sa carrière culinaire en Italie, sous l'aile protectrice de Fabio Benedetto Picci à Florence. Au bout de deux ans, elle est retournée aux États-Unis, pour travailler avec Marcella Hazan dans des restaurants d'Atlanta et de Dallas. Elle est maintenant sous-chef au Mustard's Grill dans la Napa Valley, dans le nord de la Californie.

Index

Dépôt légal : octobre 1994 ; D.1994/0053/230.